2018 개정판

해부·병태생리로 이해하는

SIM 통합내과학

연세대학교 의과대학
교수 이 수 곤 편저

STEPS TO INTERNAL MEDICINE

8 Collagen disease 결합조직

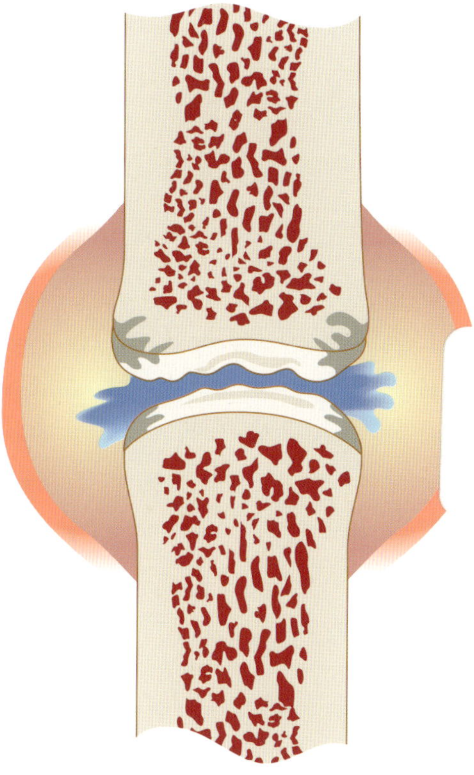

도서출판 정담

해부·병태생리로 이해하는

SIM 통합내과학 8 결합조직

1판 발행 / 2008년 4월 20일
2판 발행 / 2013년 3월 21일
3판 발행 / 2018년 1월 30일(1쇄)
2020년 2월 28일(3쇄)

발행인 김정찬
편집기획 손지현
편집디자인 최민수

발행처 도서출판 정담
주소 서울특별시 송파구 송이로17길 50-27 (가락동 13-10) 2층
전화 02-443-2791
팩스 02-430-7370
홈페이지 www.jdb.co.kr
등록 제 22-135호

정가 12,000원
ISBN 978-89-8085-832-3
978-89-8085-823-1(set)

머리글

의학이라는 험산준령에서도 그 본령을 이루는 것이 내과학이라고 할 수 있다.

내과학은 거대한 퍼즐이다. 양적으로나 내용적으로도 결코 만만치 않은 분야이다. 여러분들이 그동안 배워온 해부학, 조직학, 생리학, 생화학, 약리학, 병리학 등의 각종 기초학 지식들을 머릿속에서 퍼즐처럼 맞추어 임상현장에서 적용하기 위해서는 암기보다 질환에 대한 이해가 우선시되어야 한다.

결국 임상현장에서의 적용은 단순한 암기만으로 도달할 수 있는 경지가 아니다. 인체와 질병에 대한 기초의학에서 배웠던 모든 지식을 임상적인 지식에 접목시키고 그것을 다시 환자에 적용시킬 수 있는 수준으로 끌어올리기 위해서는 질병을 종합적으로 이해해야만 한다.

의과대학 본과생들 가운데는 참고서의 모든 것을 달달 외우려 했던 학생들도 더러 있었다. 그러나 아무리 기억력이 우수하다고 해도 암기만으로는 모든 내용을 기억할 수도 없으며, 아무런 연관성도 없는 의학용어의 나열만 암기한다고 해서 그 노력만큼 성적이 따라주지도 않았다.

이렇게 된 가장 큰 원인은 그들이 기초의학을 제대로 이해하지 못하였고 이를 임상의학과도 융합시키지 못했기 때문이다. 정상적인 인체의 구조, 생리, 병리에 대해서 잘 알지 못하면 각종 질환이 어떻게 초래되는지도 이해하기 힘들기 때문에 결국에는 책 속의 모든 내용을 외우려고 하는 악순환에 빠져버리는 것이다.

그렇다면 어떻게 해야 할까?

현실적으로 학교에서 임상의학을 공부하면서 다시 기초의학을 처음부터 공부한다는 것은 너무 어려운 일이다. 그렇기 때문에 기본으로 돌아가 그동안 공부했던 기초의학인 해부생리와 병태생리를 질환과 연계하여 다시 정리할 수 있도록 공부해야 한다.

이 책은 그동안 공부해왔던 인체의 해부학, 조직학, 생리학, 병리학 등의 각종 지식들을 리뷰할 수 있도록 간결하면서도 꼼꼼하게 서술하고 있다.

인체의 어떤 부위에서 어떠한 원인과 기전에 의해 질환이 발생하는지 이해하기 쉽도록, 또한 다양한 질환의 진단·증상·검사·치료 등에 대한 각각의 핵심내용을 명확하게 파악할 수 있도록 그림과 사진을 적절하게 활용하여 요점을 간결하게 서술하였다.

그렇기 때문에 이 책으로 공부하면 질환에 따른 병태생리와 증상, 치료 및 간호 모든 부분이 저절로 퍼즐이 맞춰지듯이 이해될 것이며, 따라서 자연스레 암기할 내용도 확연히 줄어들 것이다. 그리고 당연히 임상실습과 국시에도 반드시 필요한 지침서가 될 것이다.

2018년 편저자 일동

편저자 (가나다순)

김 세 규
연세대학교 의과대학 호흡기내과

고 윤 웅
연세대학교 의과대학 혈액내과

김 준 명
연세대학교 의과대학 감염내과

차 봉 수
연세대학교 의과대학 내분비내과

문 영 명
연세대학교 의과대학 소화기내과

최 규 헌
연세대학교 의과대학 신장내과

이 꽃 실
관동대학교 의과대학 감염내과

최 일 생
연세대학교 의과대학 신경내과

이 수 곤
연세대학교 의과대학 결합조직내과

홍 천 수
연세대학교 의과대학 면역·알레르기내과

정 남 식
연세대학교 의과대학 심장내과

일러두기

공부를 시작하기 전에 우선 이 책이 어떤 방식으로 구성되어 있는지 알아보도록 하자.

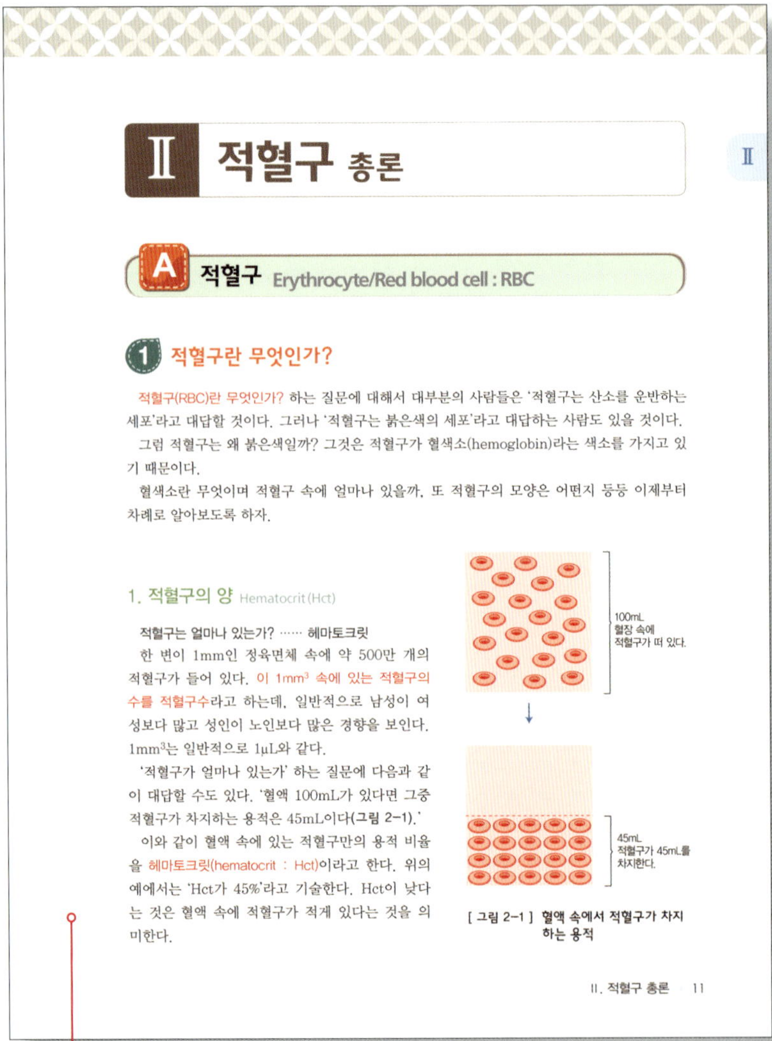

Ⅱ 적혈구 총론

A 적혈구 Erythrocyte/Red blood cell : RBC

1 적혈구란 무엇인가?

적혈구(RBC)란 무엇인가? 하는 질문에 대해서 대부분의 사람들은 '적혈구는 산소를 운반하는 세포'라고 대답할 것이다. 그러나 '적혈구는 붉은색의 세포'라고 대답하는 사람도 있을 것이다.

그럼 적혈구는 왜 붉은색일까? 그것은 적혈구가 혈색소(hemoglobin)라는 색소를 가지고 있기 때문이다.

혈색소란 무엇이며 적혈구 속에 얼마나 있을까, 또 적혈구의 모양은 어떤지 등등 이제부터 차례로 알아보도록 하자.

1. 적혈구의 양 Hematocrit(Hct)

적혈구는 얼마나 있는가? …… 헤마토크릿

한 변이 1mm인 정육면체 속에 약 500만 개의 적혈구가 들어 있다. 이 $1mm^3$ 속에 있는 적혈구의 수를 적혈구수라고 하는데, 일반적으로 남성이 여성보다 많고 성인이 노인보다 많은 경향을 보인다. $1mm^3$는 일반적으로 1μL와 같다.

'적혈구가 얼마나 있는가' 하는 질문에 다음과 같이 대답할 수도 있다. '혈액 100mL가 있다면 그중 적혈구가 차지하는 용적은 45mL이다(그림 2-1).'

이와 같이 혈액 속에 있는 적혈구만의 용적 비율을 헤마토크릿(hematocrit : Hct)이라고 한다. 위의 예에서는 'Hct가 45%'라고 기술한다. Hct이 낮다는 것은 혈액 속에 적혈구가 적게 있다는 것을 의미한다.

[그림 2-1] 혈액 속에서 적혈구가 차지하는 용적

Ⅱ. 적혈구 총론 11

총론

각론에서 질환을 배우기 전에 그동안 기초학에서 공부했던 해부, 생리, 병리를 리뷰할 수 있도록 그림과 함께 간결하게 서술하였다. 이를 통해 각 질환의 이해가 더욱 빨라질 수 있다.

각론

총론의 해부, 생리, 병리를 토대로 각 질환의 병태생리에 대해 자세히 설명하고 있다.
질환에 대한 이해를 돕기 위해 그림과 표를 추가하여 쉽고 자세하게 설명함으로써
더욱 이해하기 쉽도록 하였다.

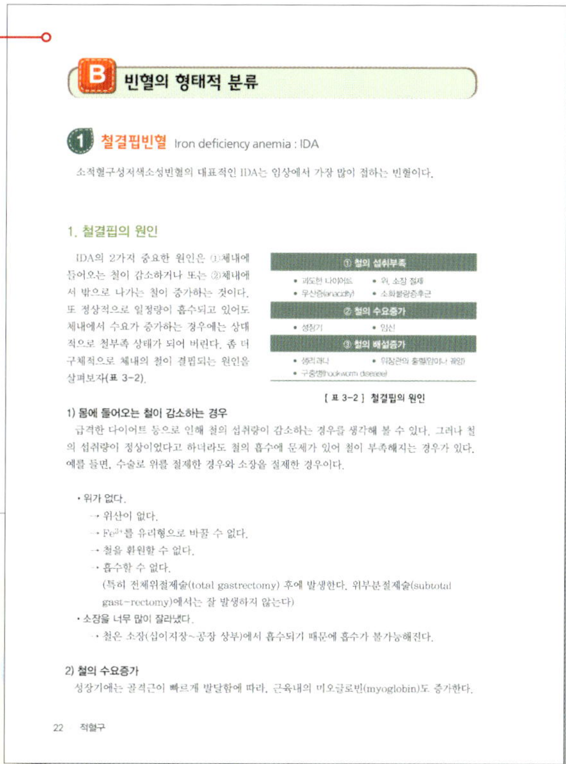

B 빈혈의 형태적 분류

1 철결핍빈혈 Iron deficiency anemia : IDA

소적혈구성저색소성빈혈의 대표적인 IDA는 임상에서 가장 많이 접하는 빈혈이다.

1. 철결핍의 원인

IDA의 2가지 중요한 원인은 ①체내에 들어오는 철이 감소하거나 또는 ②체내에서 밖으로 나가는 철이 증가하는 것이다. 또 정상적으로 일정량이 흡수되고 있어도 체내에서 수요가 증가하는 경우에는 상대적으로 철부족 상태가 되어 버린다. 좀 더 구체적으로 체내의 철이 결핍되는 원인을 살펴보자(표 3-2).

① 철의 섭취부족	
• 과도한 다이어트	• 위, 소장 절제
• 무산증(anacidity)	• 소화불량증후군
② 철의 수요증가	
• 성장기	• 임신
③ 철의 배설증가	
• 생리과다	• 위장관의 출혈(암이나 궤양)
• 구충병(hookworm disease)	

[표 3-2] 철결핍의 원인

1) 몸에 들어오는 철이 감소하는 경우

급격한 다이어트 등으로 인해 철의 섭취량이 감소하는 경우를 생각해 볼 수 있다. 그러나 철의 섭취량이 정상이었다고 하더라도 철의 흡수에 문제가 있어 철이 부족해지는 경우가 있다. 예를 들면, 수술로 위를 절제한 경우와 소장을 절제한 경우이다.

• 위가 없다.
→ 위산이 없다.
→ Fe^{3+}를 유리형으로 바꿀 수 없다.
→ 철을 환원할 수 없다.
→ 흡수할 수 없다.
(특히 전체위절제술(total gastrectomy) 후에 발생한다. 위부분절제술(subtotal gast-rectomy)에서는 잘 발생하지 않는다)
• 소장을 너무 많이 잘라냈다.
→ 철은 소장(십이지장~공장 상부)에서 흡수되기 때문에 흡수가 불가능해진다.

2) 철의 수요증가

성장기에는 골격근이 빠르게 발달함에 따라, 근육내의 미오글로빈(myoglobin)도 증가한다.

22 적혈구

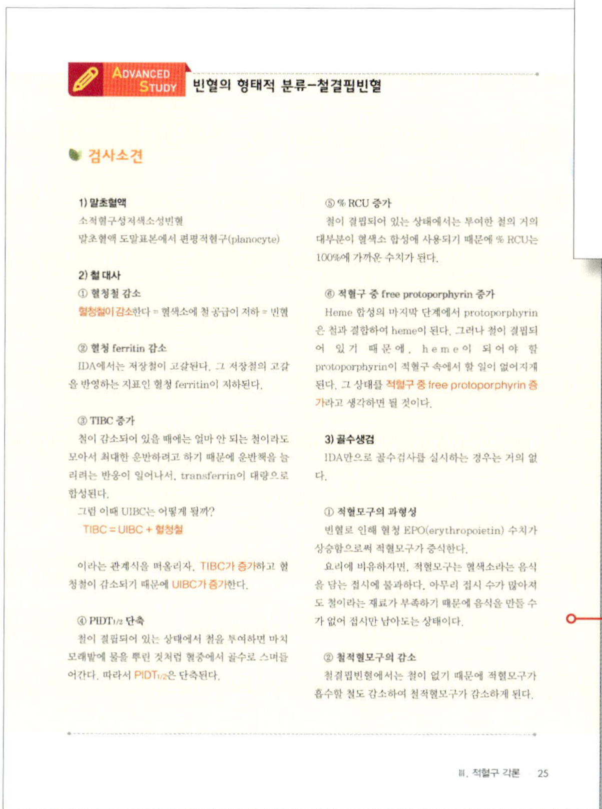

ADVANCED STUDY 빈혈의 형태적 분류-철결핍빈혈

검사소견

1) 말초혈액

소적혈구성저색소성빈혈

말초혈액 도말표본에서 편평적혈구(planocyte)

2) 철 대사

① 혈청철 감소

혈청철이 감소한다 = 혈색소에 철 공급이 저하 = 빈혈

② 혈청 ferritin 감소

IDA에서는 저장철이 고갈된다. 그 저장철의 고갈을 반영하는 지표인 혈청 ferritin이 저하된다.

③ TIBC 증가

철이 감소되어 있을 때에는 얼마 안 되는 철이라도 모아서 최대한 운반하려고 하기 때문에 운반책을 늘리려는 반응이 일어나서, transferrin이 대량으로 합성된다.

그럼 이때 UIBC는 어떻게 될까?

TIBC = UIBC + 혈청철

이라는 관계식을 떠올리자. TIBC가 증가하고 혈청철이 감소되기 때문에 UIBC가 증가한다.

④ $PIDT_{1/2}$ 단축

철이 결핍되어 있는 상태에서 철을 투여하면 마치 모래밭에 물을 뿌린 것처럼 혈중에서 골수로 스며들어간다. 따라서 $PIDT_{1/2}$은 단축된다.

⑤ % RCU 증가

철이 결핍되어 있는 상태에서는 투여한 철의 거의 대부분이 혈색소 합성에 사용되기 때문에 % RCU는 100%에 가까운 수치가 된다.

⑥ 적혈구 중 free protoporphyrin 증가

Heme 합성의 마지막 단계에서 protoporphyrin은 철과 결합하여 heme이 된다. 그러나 철이 결핍되어 있기 때문에, heme이 되어야 할 protoporphyrin이 적혈구 속에서 할 일이 없어지게 된다. 그 상태를 적혈구 중 free protoporphyrin 증가라고 생각하면 될 것이다.

3) 골수생검

IDA만으로 골수검사를 실시하는 경우는 거의 없다.

① 적혈모구의 과형성

빈혈로 인해 혈청 EPO(erythropoietin) 수치가 상승함으로써 적혈모구가 증식한다.

요리에 비유하자면, 적혈모구는 혈색소라는 음식을 담는 접시에 불과하다. 아무리 접시 수가 많아져도 철이라는 재료가 부족하기 때문에 음식을 만들 수가 없어 접시만 남아도는 상태이다.

② 철적혈모구의 감소

철결핍빈혈에서는 철이 없기 때문에 적혈모구가 흡수할 철도 감소하여 철적혈모구가 감소하게 된다.

Ⅲ. 적혈구 각론 25

Advanced Study

질환에 대한 기본적인 설명 이외에도 깊은 지식을 쌓을 수 있는 Advanced study 코너를 만들었다. 이를 통해 질환별 병태생리와 검사 및 치료법에 대해 더욱 깊게 알 수 있는 심화내용을 보충하였다.

플러스 코너와 Tip

총론 및 각론의 본문 내용과 연계되면서도 흥미롭게 읽을 수 있는 배경지식들을 선별하여 별도로 편집하였다.

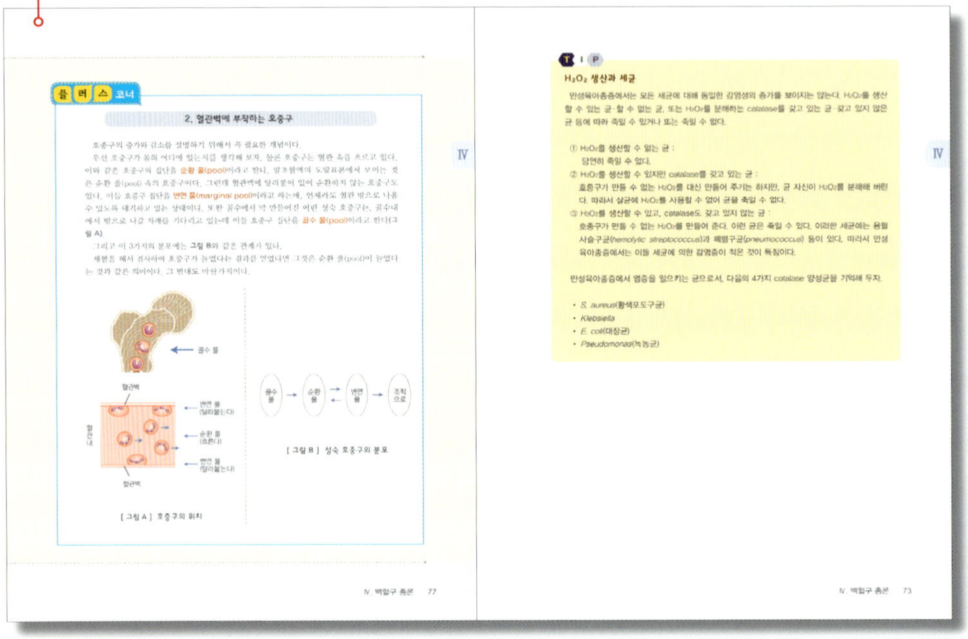

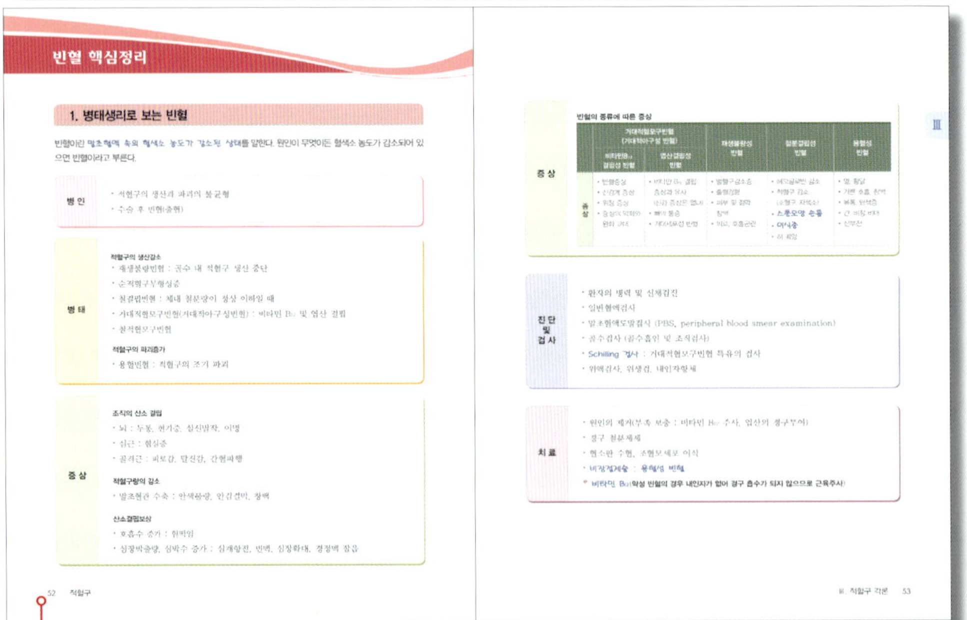

질환별 핵심정리

앞서 공부했던 질환의 핵심내용을 정리하여 한눈에 살펴볼 수 있도록 간결하게 서술하였다.

차례 결합조직질환

결합조직질환

Ⅰ. 총론

A. 결합조직 질환 3

❶ 결합조직 질환의 개념 3

1. 결합조직 질환 명명의 역사 3
2. 결합조직 질환의 다른 측면 4
3. 결합조직 질환의 유사 질환 5

❷ 결합조직 질환이 의심되는 증상 6

❸ 결합조직 질환에 흔히 나타나는 증상 7

1. 발열 7
2. 전신 비특이적인 증상 7
3. 피부증상 7
4. 관절증상 7
5. Raynaud 현상 8
6. 근력 저하 9
7. 기타 9

❹ 검사소견 10

1. 말초혈액 10
2. 생화학적 검사 11
3. 항핵항체 12
4. 류마티스인자 18
5. LE cell 19

❺ 치료제 20

1. 스테로이드 20
2. 아라키돈산 연쇄반응과 항염증제 21
3. NSAIDs 21
4. 면역억제제 22

Ⅱ. 각론

1. 고전적 결합조직 질환 33
2. 제1 유형 : 관절통 Arthralgia 33
3. 제2 유형 : 혈관염 Vasculitis 34
4. 제3 유형 : SLE + SSc + PM/DM = ? 34
5. 제4 유형 : Sjögren 증후군 34
6. 정리 34

A. 관절염 35

❶ 류마티스관절염 35

1. 정의 35
2. 역학 35
3. 병태생리 35
4. 임상증상 38
5. 관절염의 경과 42
6. 검사소견 43
7. 진단기준 43
8. 활동성의 지표 45
9. 치료 및 간호 45

류마티스 관절염 핵심정리 52

❷ 악성 류마티스관절염 54

1. 임상증상 54
2. 검사소견 55
3. 결절다발동맥염과의 비교 55
4. 치료 및 간호 55

❸ Felty 증후군 57

1. 증상 58
2. 검사소견 58

3. 치료 및 간호 58

❹ 소아 류마티스관절염 59

1. JRA의 개념 59
2. JRA의 3가지 유형 59
3. 스틸씨병 61
4. 검사소견 62
5. 치료 및 간호 62
6. JRA의 요점 63

❺ 성인 스틸씨병 63

1. 역학 63
2. 임상증상 63
3. 치료 및 간호 64
4. 예후 65

❻ 혈청 음성 척추관절염 65

1. 강직척추염 65
2. 반응성 관절염 68
3. Reiter 증후군 68
4. 건선관절염 69

❼ 변형관절염(퇴행성 골관절염) 70

1. 개념 70
2. 병태생리 70
3. 발생부위 70
4. 검사 71

❽ 류마티스열 72

1. 개념 72
2. 역학 72
3. 병태생리 72
4. 검사소견 73
5. 임상증상 73
6. 요점 74

❾ 통풍 75

1. 개념 75
2. 발생부위 75
3. 진단 75
4. 치료제 76

❿ 가성 통풍/거짓 통풍 76

1. 통풍과 가성 통풍의 차이 76

B. 전신홍반루푸스 77

❶ 전신홍반루푸스 77

1. 개념 77
2. 역학 77
3. 임상증상 78
4. 검사소견 81
5. 진단기준 83
6. 활동성의 지표 83
7. 치료와 예후 83

전신홍본루푸스(SLE) 핵심정리 85

❷ 항인지질항체 증후군 87

1. 개념 87
2. 역학 90
3. 임상증상 90
4. 검사소견 91
5. 진단기준 91
6. 치료 및 간호 91

C. 피부경화증 92

❶ 역학 93

❷ 분류 93

❸ 임상증상 94

1. 피부증상 94
2. 혈행장애 96

3. 소화관 병변 96
4. 신장 병변 96
5. 폐 병변 97
6. 심장증상 97
④ 검사 98
1. 혈액학적 소견 98
2. 흉부 X-선 · CT 99
3. 심전도 검사 99
4. 상부 소화관 조영 99
5. 신장기능 검사 99
6. 피부생검 100
7. 기타 100
⑤ 치료 및 간호 100
피부경화증(SSc) 핵심정리
D. 다발근육염 · 피부근육염 104
① 역학 104
② 임상증상 105
1. 근육증상 105
2. 피부증상 105
3. 폐병변 106
4. 관절증상 106
5. 악성 종양 106
③ 검사소견 108
1. 자가항체 108
2. CK, LDH, AST, ALT 108
3. 근전도 108
4. 근육생검 108
5. 흉부 X-선 · CT 109
6. 심전도 109
④ 치료 및 간호 109
다발근육염, 피부근육염 핵심정리 110
E. 혼합결합조직병 112
1. 역학 113
2. 임상증상 113
3. 검사소견 114
4. 치료 및 간호 114
F. Sjögren 증후군 115
1. 역학 115
2. 임상증상 115
3. 검사 116
4. 치료 및 간호 118
5. 예후 118
쇼그렌 증후군 핵심정리 119
G. 혈관염 총론 121
① 개념 121
1. 혈관염을 초래하는 질환 121
2. 혈관염이 의심되는 경우 122
3. 장애받는 혈관의 굵기 124
4. 혈관염의 병리 124
H. 혈관염 각론 126
① 결절다발동맥염 126
1. 역학 126
2. 병태생리 126
3. 병리조직학적 소견 127
4. 임상증상 127
5. 검사소견 129
6. 진단기준 129
7. 치료 및 간호 130
8. 예후 130
결절다발동맥염 핵심정리 131

2 현미경적 다발혈관염 133
1. 역학 134
2. 임상증상 134
3. 검사소견 135
4. 치료 및 간호 135

3 알레르기성 육아종성 혈관염 136
1. 역학 136
2. 임상증상 137
3. 검사소견 137
4. 치료 및 간호 137

4 Wegener 육아종증 138
1. 역학 138
2. 임상증상 138
3. 검사소견 140
4. 치료 및 간호 140

5 과민성 혈관염 140
1. 원인 140
2. 병리조직학적 소견 140
3. 임상증상 141
4. 치료 및 간호 141

6 Henoch-Schönlein 자색반 141
1. 역학 141
2. 임상증상 142
3. 검사소견 143
4. 치료 및 간호 143

7 관자동맥염 143
1. 역학 143
2. 임상증상 143
3. 검사소견 144
4. 진단기준 145
5. 치료 및 간호 145
6. 참고 145

8 대동맥염 증후군 147
1. 침범되는 혈관 147
2. 무맥병이라는 병명의 유래 147
3. 역학 147
4. 임상증상 148
5. 검사소견 148
6. 치료 149

9 가와사키병/소아 급성열성피부점막 림프절 증후군 149
1. 정의 149
2. 역학 150
3. 임상증상과 진단기준 150
4. 심혈관장애 151
5. 치료 및 간호 152
6. 검사소견 152

10 Behcet병 152
1. 역학 152
2. 병태생리 152
3. 임상증상 153
4. 검사소견 155
5. 진단 155
6. 치료 및 간호 156
7. 예후 156

베체트병 핵심정리 157

I. 섬유근육통 159
1. 개념 159
2. 증상 159
3. 검사 159
4. 진단기준 160
5. 감별진단 160
6. 치료 160

결합조직질환

Ⅰ. 총론
Ⅱ. 각론

I 총론

A 결합조직 질환
Connective tissue disease, Collagen disease

1 결합조직 질환의 개념

1. 결합조직 질환 명명의 역사

1942년에 Paul Klemperer라는 병리학자가 결합조직 질환이라는 질환 개념인 "diffuse collagen disease"를 제창하였다. 그때까지 병은 각 장기에 주요 병변이 있다고 보았다. 예를 들면, 간경변이란 간이 침범당하는 병이고, 폐렴이란 폐가 침범당하는 병이라고 생각하였다. 그러나 병리학자 Klemperer는 전신홍반루푸스(SLE)와 같이 신장 · 피부 · 관절 · 폐 등 많은 장기에 장애를 주는 질환, 즉, 하나의 장기에만 국한해서는 설명할 수 없는 질환이 있다는 것을 발견하였다.

Klemperer는 이처럼 여러 장기를 침범하는 질환(특히 SLE나 피부경화증〈SSc〉)에 주목하여, 병리학자의 관점에서 연구를 거듭하였다. 그 결과, 장기의 실질이 아닌, 간질/사이질, 특히 결합조직(아교섬유 등)에 공통된 병변이 존재한다는 것을 밝혀냈다. 그 병변이란 바로 결합조직의 섬유소성(fibrinoid) 변성이다. 전신에 퍼져 있는 결합조직계에 발생하는 염증의 소견을 기준으로 Klemperer는, ① 다장기 침범성, ② 결합조직에 섬유소성 변성이 나타난다는 특징 외에, ③ 비종양성, ④ 비감염성, ⑤ 원인불명이라는 점을 추가하여 결합조직 질환이라는 질환 개념을 제창하였다.

결합조직 질환의 특징

- 다장기 침범성
- 결합조직의 섬유소성 변성
- 비종양성, 비감염성
- 원인불명

이후 Klemperer는 결합조직 질환의 개념을 더욱 명확히 해서 SLE, SSc와 함께 다발근육염, 피부근육염(PM/DM), 류마티스관절염(RA), 류마티스열(RF), 결절다발동맥염(polyarteritis nodosa)을 추가한 6가지 질환을 정의하였다. 현재 이 6가지 질환을 고전적 결합조직 질환이라 한다.

고전적 결합조직 질환

- 전신홍반루푸스(systemic lupus erythematosus : SLE)
- 피부경화증 : scleroderma(전신경화증 ; systemic sclerosis : SSc)
- 다발근육염·피부근육염(polymyositis : PM / dermatomyositis : DM)
- 류마티스관절염(rheumatoid arthritis : RA)
- 류마티스열(rheumatic fever : RF)
- 결절다발동맥염(polyarteritis nodosa : PN)

이와 같이, "결합조직에 이상이 있다 → 결합조직 질환이라고 명명하자"라는 병리조직학적인 사고에 근거해서 탄생된 질환 개념이 결합조직 질환이다. 결합조직(= 아교섬유)에 주요 병변이 있는 질환은 결합조직 질환 이외에도 존재한다. Ehlers-Danlos 증후군, Marfan 증후군 등은 선천성 결합조직 질환이다. 그러나 결합조직 질환은 염증성 질환이라는 점이 특징적이다.

2. 결합조직 질환의 다른 측면

병리조직학적으로 결합조직 질환이라는 질환개념이 탄생하였다. 그러나 결합조직 질환은 다른 측면도 아울러 가지고 있다.

하나는 자가면역 질환으로서의 특징, 또 다른 하나는 류마티스 질환으로서의 특징이다. 결합조직 질환에는 류마티스 인자(rheumatoid factor)와 항핵항체(antinuclear antibody ; ANA)라는 자가항체가 혈중에서 보인다. 류마티스 인자와 항핵항체와 병태와의 직접적인 관계는 불분명하지만, 적어도 자가면역이 병태에 관여하고 있는 것으로 생각된다.

TIP

섬유소성 변성

섬유소(fibrin)와 아주 유사한 물질이 침착하는 것이다. 강한 호산성과 굴절성을 나타내는 균일한 구조물로, fibrin과 같은 염색성을 나타내는 물질로 정의되고 있다. H-E(hematoxylin eosin)염색에서는 옅은 핑크색으로 보이며, 그 본체는 불분명하다.

Klemperer는 섬유소성 변성을 결합조직 질환의 특징적인 변화로서 취급하고 있지만, 섬유소성 변성은 다른 만성 염증에서도 발생하는 경우가 있기 때문에 반드시 결합조직 질환에서의 특이한 변화라고 할 수는 없다.

또, 섬유소성 괴사라는 말이 있는데, 이것은 섬유소성 변성과 같은 것이라고 생각하면 된다.

또, 임상적으로는 류마티스 질환의 측면을 가지고 있다. 류마티스 질환이란 다음과 같이 정의된다. 넓은 의미로는, 「전신의 관절, 근육, 골격 등 운동계에 통증을 수반하는 것」, 좁은 의미로는 「만성 류마티스관절염(chronic RA)과 류마티스열」이다. 결합조직 질환의 대부분이 관절을 침범하기 때문에 류마티스 질환과 밀접한 관계가 있다.

병리조직학적인 개념에서 탄생한 결합조직 질환은 병인론적으로는 자가면역 질환, 임상적으로는 류마티스 질환이라고 하여, 견해를 달리하면 다른 특징이 보인다. 그러나 결합조직 질환 = 자가면역 질환, 결합조직 질환 = 류마티스 질환이라는 식으로, "="로 연결시키지 말고 결합조직 질환과 자가면역 질환은 공통점을 갖는다고 알아두자. 결합조직 질환과 류마티스 질환도 마찬가지이다 (그림 1-1).

정리하면 다음과 같다.

- 결합조직 질환은 염증성이다.
- 결합조직 질환은 자가면역 질환의 일면과 류마티스 질환의 일면을 갖는다.

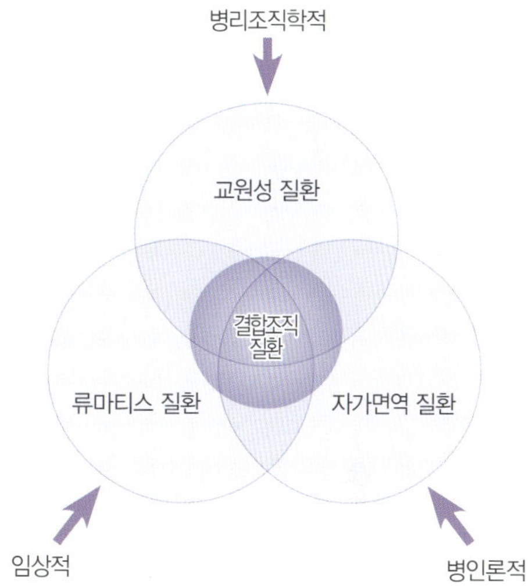

[그림 1-1] 결합조직 질환의 다른 측면

3. 결합조직 질환의 유사 질환

고전적 결합조직 질환은 6가지이지만, 결합조직 질환의 유사 질환에는 많은 종류가 있다 (표 1-1). 결합조직 질환의 유사 질환이므로 결합조직 질환과 아주 비슷하다. 즉, 다장기 침범성, 비악성 종양, 비감염증, 원인불명이라는 점이다. 고전적 결합조직 질환 이외의 모든 것을 결합조직 질환의 유사 질환이라고 한다. 그러나 여기에서 공부하는 질환은 결합조직 질환 그 자체이므로 유사질환이라는 말에 혼동되지 않기 바란다. 실제로 혼합결합조직병(MCTD), Sjögren 증후군은 엄격한 의미의 고전적 결합조직 질환은 아니지만 결합조직 질환으로 취급되고 있다.

고전적 결합조직 질환 중 원인이 밝혀져 있는 질환이 있다. 바로 류마티스열(reumatic fever : RF)이다. 연쇄상구균(*streptococcus*) 감염에 의해 류마티스열이 발생한다는 것이 밝혀졌기 때문에 결합조직 질환의 정의 속에 있는 「원인불명」이라는 조건에는 위배되지만, 편의상 결합조직 질환으로 취급하고 있다.

결합조직 질환 및 유사 질환		
· 류마티스관절염(RA)·악성 류마티스 관절염(MRA)·Felty 증후군 · 소아 류마티스관절염(JRA) · 성인 Still병(ASD) · 강직성 척추염(AS) · 반응성 관절염(ReA) · 건선성 관절염(PsA)	· 전신홍반루푸스(SLE) · 전신피부경화증(SSc) · 다발근육염(PM)/ 피부근육염(DM) · 혼합성 결합조직병(MCTD) · Sjögren 증후군(SjS)	· 결절성 다발동맥염(PN) · 현미경적 다발혈관염(MPA) · 알레르기성 육아종성혈관염(AGA) · Wegener 육아종증(WG) · 측두동맥염(TA) · 가와사키병 · 대동맥염 증후군 · Schönlein-Henoch 자반병 · Behcet 병
관절염을 주된 증상으로 하는 질환 (류마티스관절염 관련 질환)		혈관염을 주된 증상으로 하는 질환 (혈관염 증후군)

[표 1-1] 결합조직 질환 및 유사질환

2 결합조직 질환이 의심되는 증상

결합조직 질환이 의심되는 증상들 중의 하나는 원인불명의 발열이다. 단, 원인불명의 발열이 나타났다고 해서, 무조건 결합조직 질환을 의심하면 안 된다. 먼저 감염증을 의심해 보고 다음에 악성 종양을 의심해 본 후, 그래도 모르겠다면 결합조직 질환을 의심해야 한다. 결합조직 질환의 특징에는 다장기 침범이 있다. 원인불명의 발열이 있고 관절, 피부, 폐 등 다장기에 장애가 보일 때에는 더욱 결합조직 질환을 의심해야 한다.

TIP

FUO

원인불명의 발열을 FUO라고 부른다. 이것은, fever unknown origin의 약자로서 다음과 같은 특성을 나타낸다.

① 발열 기간이 3주 이상 계속된다.

② 38.3℃ 이상의 발열이 경과하는 중에 수차례 이상 나타난다.

③ 1주일의 입원검사로도 발열의 원인이 명확하게 밝혀지지 않는다.

이상의 3가지 조건을 만족시키면 FUO로 간주한다. FUO의 3대 원인은 감염증, 악성 종양, 결합조직 질환으로 이들이 전체의 2/3를 차지한다.

3 결합조직 질환에 흔히 나타나는 증상

결합조직 질환이 의심되는 FUO 환자에 대해서는 주의 깊게 증상을 물어보는(문진) 것이 중요하다. 여기에서 설명하는 증상이 환자에게 해당되는 경우에는 결합조직 질환일 가능성이 더욱 높아진다. 결합조직 질환에 비교적 공통된 증상, 나타나기 쉬운 증상에 대해 살펴보기로 하자.

1. 발열

위에서도 설명했지만, 이것이 가장 기본적인 증상이다. 발열은 결합조직 질환이 전신성 염증성 질환이라는 근거도 된다. 결절성 다발동맥염(Polyarteritis nodosa : PN), 전신홍반루푸스(SLE)에서는 발열이 자주 나타나지만, 전신피부경화증(SSc)에서는 그다지 열이 나지 않는다. 발열이라고 해도 열이 나기 쉬운 질환, 열이 잘 나지 않는 질환이 있다.

혈관염(vasculitis)을 일으키는 질환은 열이 나기 쉽다고 기억해 두자.

2. 전신 비특이적인 증상

질환의 활동기에 전신권태감, 피로감 증가, 체중감소 등 비특이적인 증상이 나타난다. 결합조직 질환 환자를 보면 살찐 사람이 적다는 것을 알 수 있을 것이다(steroid 사용 시 나타나는 moon face를 착각하지 말 것).

3. 피부증상

결합조직 질환에서는 다양한 피부증상이 나타나는데 피부증상의 가장 큰 특징은「가렵지 않다」는 것이다. 대표적인 피부증상은 홍반(erythema)이다. 각 질환별로 특징적인 피부증상을 나타내므로 기억해 두자.

단, 피부근육염(DM)에서는 가려움증이 동반된 홍반이 나타난다. 상세한 것은 각론에서 설명하겠다.

4. 관절증상

결합조직 질환≒류마티스 질환이다. 류마티스 질환의 정의를 다시 한 번 생각해 보자. 류마티스 질환에서는 온몸의 관절 · 근육 · 골격 등 운동계에 통증을 수반하므로, 결합조직 질환에서도 정도의 차이는 있지만 관절증상을 수반한다.

관절병변은 다발성 관절염이 특징적이다. 급성 관절염은 SLE, RF, PM/DM, 혈관염 등에서 발생하고, 만성 관절염은 RA, SSc에서 발생한다.

5. Raynaud 현상

레이노(Raynaud) 현상이란 미세혈관의 변화가 피부를 통해 관찰되는 현상이다. 어떤 계기로 세소동맥과 정맥얼기에 연축(spasm)이 일어나는데, 그 계기는 대부분 한랭자극(계절, 냉수, 냉기 등)이다. 또한 정신적인 스트레스 등으로도 Raynaud 현상이 일어날 수가 있다.

미세혈관이 연축된 후의 과정을 살펴보면 다음과 같다.

미세혈관이 연축한다.

→ 말초에 혈액이 통하지 않는다. 물론 피부에도 혈액이 통하지 않는다(허혈).

→ 피부가 하얗게 된다.

→ 계속해서 말초에 혈액이 오지 않는다(한랭감, 저림, 지각이 둔해짐 등).

→ 우선, 그 자리에 있던 적혈구가 산소를 최대한 방출한다.

→ 대부분의 헤모글로빈에서 산소가 빠져나가 청색증이 된다(혈액은 있지만 혈류가 없는 상태).

→ 피부가 보라색이 된다.

→ 이윽고 혈관의 연축이 회복된다. = 혈관이 열린다.

→ 한꺼번에 혈액이 흘러들어온다.

→ 혈액이 고인다(충혈).

→ 피부가 붉어진다.

이와 같이 피부색조가 흰색 → 보라색 → 붉은색으로 변한다. 이와 같이 미세혈관의 연축이 원인으로 발생하는 피부색조의 변화를 Raynaud 현상이라고 한다**(그림 1-2)**.

'Raynaud 현상이라면 피부경화증(SSc)'이라고 할 정도로 피부경화증에서는 거의 100% 볼 수 있으며, 다른 결합조직 질환에서도 많이 관찰할 수가 있다. 이 Raynaud 현상에도 우열이 있어 Raynaud 현상이 잘 나타나는 질환, 잘 나타나지 않는 질환이 있다.

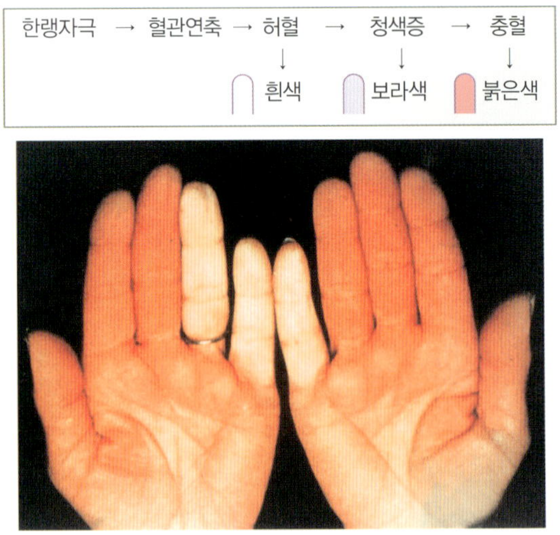

[그림 1-2] Raynaud 현상

Raynaud 현상이 잘 나타나는 결합조직 질환

- SSc
- SLE
- MCTD(mixed connective tissue disease)

Raynaud 현상이 잘 나타나지 않는 결합조직 질환

- RA
- RF

6. 근력 저하

결합조직 질환은 근육이 아프고, 근육에 힘이 빠지는 등의 증상이 나타나는 경우가 많은데, 이것은 근육의 염증으로 인해 근육이 아프고, 근력 저하가 나타나는 것이다. 화장실에서 웅크리고 앉을 수가 없다는 등의 이야기를 들었다면 근육장애를 의심해야 한다. 근력 저하를 초래하는 대표적인 결합조직 질환은 다발근육염(polymyositis ： PM)과 피부근육염(dermatomyositis ： DM)이다.

7. 기타

결합조직 질환은 다장기 장애가 특징이므로, 폐 · 신장 · 소화기 · 심장 등 여러 장기가 침범당하며, 여기에 동반해서 여러 가지 증상을 나타낸다. 자세한 것은 각론에서 설명하기로 한다.

TIP

Raynaud 현상이 나타나는 결합조직 질환 이외의 질환

Raynaud 현상은 결합조직 질환만의 특이적인 현상은 아니다. 앞의 설명에서는 혈관연축이 원인이었지만, 그 밖의 다른 원인에 의해 혈관이 폐쇄, 협착되어도 Raynaud 현상을 일으킨다. 예를 들면, 사지혈관의 동맥경화증으로도 Raynaud 현상을 일으킬 수가 있다. 한랭글로불린(cryoglobulin) 혈증이나 한랭응집소증에서는 한랭자극에 의해 면역글로불린이 혈관내에서 응집되어 혈관을 막아 Raynaud 현상을 일으킬 수가 있다. 또, 항상 손가락이 진동에 노출되어 있는 사람, 예를 들면, 전동톱을 사용하는 사람, 타이피스트, 피아니스트에게서 Raynaud 현상을 볼 수 있다.

4 검사소견

1. 말초혈액

1) 적혈구

대부분의 예에서 빈혈(anemia)이 나타난다. 결합조직 질환은 만성 염증성 질환이기 때문에, 그 결과로서 철분이 그물내피계통(RES)에 쌓이게 된다. 일반적으로 만성 염증에서는,

- 혈청철 감소
- TIBC(total iron binding capacity) 감소
- 혈청 페리틴(ferritin) 증가

가 나타나는 소적혈구성(microcytic)~정상적혈구(normocytic) 빈혈이 된다. 이것은 철분을 잘 이용하지 못해 발생하는 2차성 빈혈이다. 당연히 철분을 공급해도 빈혈은 개선되지 않는다.

표 1–2에 나타낸 질환에서는 만성 염증 이외의 원인으로 빈혈을 일으킬 수 있다.

질환명	원인
SLE	자가면역 용혈빈혈(AIHA)
SSc	비타민B_{12}/엽산결핍에 의한 거대적혈모구빈혈[주1)]
Felty 증후군[주2)]	비장 기능 항진에 의한 혈관외용혈

[표 1–2] 결합조직 질환과 빈혈의 종류

주1) 피부경화증에서 소화관이 장애를 받아 흡수불량 증후군이 발생하는 것이 하나의 이유이다. 또 하나의 이유는 소화관이 무긴장 상태가 되는 결과, 장내세균이 비정상적으로 증식하여 비타민B_{12}를 소비해 버리기 때문이다.

주2) Felty 증후군은 RA에 비장비대(splenomegaly) 및 비장기능의 항진을 동반하는 질환이다. 비장기능의 항진 결과, 비장에서 적혈구, 백혈구(특히 호중구)가 파괴된다.

2) 백혈구

백혈구가 감소하는 결합조직 질환은 다음 4가지이다.

- SLE
- 혼합결합 조직병(MCTD)
- Sjögren 증후군
- Felty 증후군

백혈구가 증가하는 결합조직 질환은 다음 2가지이다.

- PN(polyarteritis nodosa) 및 기타 혈관염(vasculitis)을 동반하는 것
- RA

염증성 질환 → 백혈구 증가이며, SLE와 Sjögren 증후군, Felty 증후군은 예외라고 기억해 두자. 또, 혈관염(vasculitis)을 동반하는 질환에는 호산구가 증가하는 것이 많다고 기억해 두자.

3) 혈소판

SLE에서는 자가면역성 혈소판감소증이 발생한다. 그에 비해, 혈관염을 초래하는 질환에서는 혈소판이 증가한다. 또 RA에서도 혈소판이 증가한다.

TIP

- 결합조직 질환에서는 적혈구가 증가하지 않는다.
  염증 → 빈혈이라는 형태
- 결합조직 질환은 염증성 질환이므로 백혈구가 증가한다. 단지 예외가 있다.
- SLE는 백혈구, 혈소판 모두 감소(범혈구 감소)한다.
- 혈관염(vasculitis), RA에서는 백혈구, 혈소판 모두 증가한다.

2. 생화학적 검사

1) 염증의 관점

다음은 염증에서 일반적으로 나타나는 검사소견이다.

- ESR 항진
- CRP 양성
- 혈청구리 증가
- 혈청철 감소

결합조직 질환에서도 유사하다.

물론, 예외도 있는데 SLE와 SSc이다. SLE와 SSc에서는 CRP가 정상인 경우가 많다. 그 외의 질환에서는 ESR과 CRP가 함께 상승한다.

2) 기타

① Creatinine, BUN의 상승

신장기능장애를 시사한다. SLE, SSc, PN 등에서 신장장애가 있는 경우에 상승한다.

② CK, AST, LDH의 상승

근육의 파괴를 시사한다. AST의 상승만을 보고 간질환이라고 속단하여, 근육질환을 간과하는 경우가 있다. AST에만 주목하지 말고 CK도 보는 것이 중요하다.

③ **저알부민혈증(Hypoalbuminemia)**

신증후군/콩팥증후군에 의한 신장으로부터의 상실과 단백질누출성 위장증이 원인으로 발생한다. 만성 염증에서도 알부민은 저하된다.

④ **γ-globulin의 상승**

Sjögren증후군과피부경화증에서는현저한고감마글로불린혈증(hypergammaglobulinemia)을 볼 수 있다. SLE와 RA에서도 γ-globulin이 조금씩 상승한다. Sjögren 증후군은 악성 림프종을 동반하는 빈도가 높은데(5%) 그 대부분은 B cell성이다. 이것과 Sjögren 증후군에서의 감마글로불린혈증(gammaglobulinemia)을 함께 기억해 두자.

3. 항핵항체 Antinuclear antibodies : ANA

항핵항체, 류마티스인자, LE cell 등이 결합조직 질환에서 얼마나 특이적인가에 대해서 살펴보자.

1) 항핵항체 ANA 란 무엇인가?

항핵항체란 세포핵 내의 여러 가지 항원들에 대한 많은 종류의 항체의 총칭이다.

항핵항체는 물론 혈액 중(= 세포외)에 존재한다. 핵 내 항원은 세포 속에 있다. 항원은 핵 내의 DNA, 또는 RNA에 결합한 단백성분이다. 세포외에 있는 항체가 세포막을 넘어 세포 내에 있는 항원과 결합하는 것은 매우 어렵다. 또, 핵 내 항원에 항체가 결합하는 것은 in vitro에서는 확인되었다. 항원의 활성을 억제하며 세포를 파괴한다. 또한 조건에 따라서는 세포 내 항원이 세포 표면으로 표출된다고 알려져 있다.

그러나 현시점에서는 항핵항체만으로 결합조직 질환의 병태생리를 설명하는 것은 불가능하다.

2) 항핵항체의 의미

결합조직 질환의 병태를 해명한다는 관점에서 보면, 항핵항체는 별로 도움이 안 되는 존재이다. 그러나 항핵항체를 측정하는 것은 다음과 같은 의의를 갖기 때문에 매우 유용하다.

항핵항체를 측정하는 의의

- 질환의 보조진단
- 병형의 분류
- 생명예후의 추정
- 치료효과의 판단

3) 항핵항체의 측정법

가장 일반적인 형광항체법(FANA : fluorescent antinuclear antibody)에 대하여 살펴보자(**그림 1-3**).

[방법]

① 슬라이드글라스 위에 사람의 배양세포를 증식시킨다.

② 세포를 알코올로 고정한다.

③ 세포가 죽어서 항체가 세포막을 통과할 수 있게 된다.

④ 환자혈청(1차 항체)을 뿌린다.

⑤ 형광색소가 결합되어 있는 anti-human IgG Ab(2차 항체)를 투입한다.

⑥ 자외선을 비춰 형광현미경으로 관찰한다.

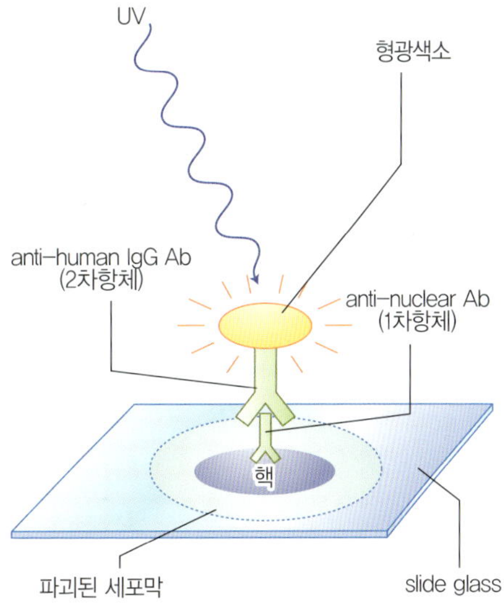

[그림 1-3] FANA

[원리와 결과]

① 환자혈청에 항핵항체가 존재하면 배양세포의 핵에 항체가 결합한다.

② 항핵항체에 대해서 2차 항체가 결합한다.

③ 형광색소에 자외선을 비추면 황록색의 형광을 발한다.

④ 핵과 일치하여 형광이 관찰되면 환자 혈청 속에 항핵항체가 존재하고 있다는 증거가 된다.

항핵항체의 존재는 핵으로부터 발사되는 형광으로 알 수 있지만 핵의 어느 부분이 황록색으로 되어 있는가(염색 패턴이라고 한다)에 따라 항핵항체의 종류를 어느 정도 판정할 수 있다.

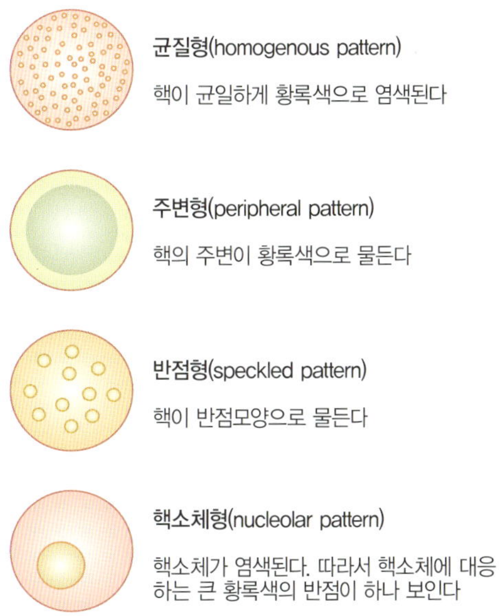

[그림 1-4] 형광항체법의 염색 패턴

대표적인 염색 패턴이 4가지 있다(**그림 1-4, 5**). 염색패턴이 시사하는 특이적 항핵항체와 관련 질환의 대응을 **표 1-3**에 나타냈으니 참고하기 바란다. 특히 균질형과 주변형은 항핵항체와 1대1로 대응하고 있고, 또한 관련 질환이 같은 SLE이므로 이해하기 쉬울 것이다.

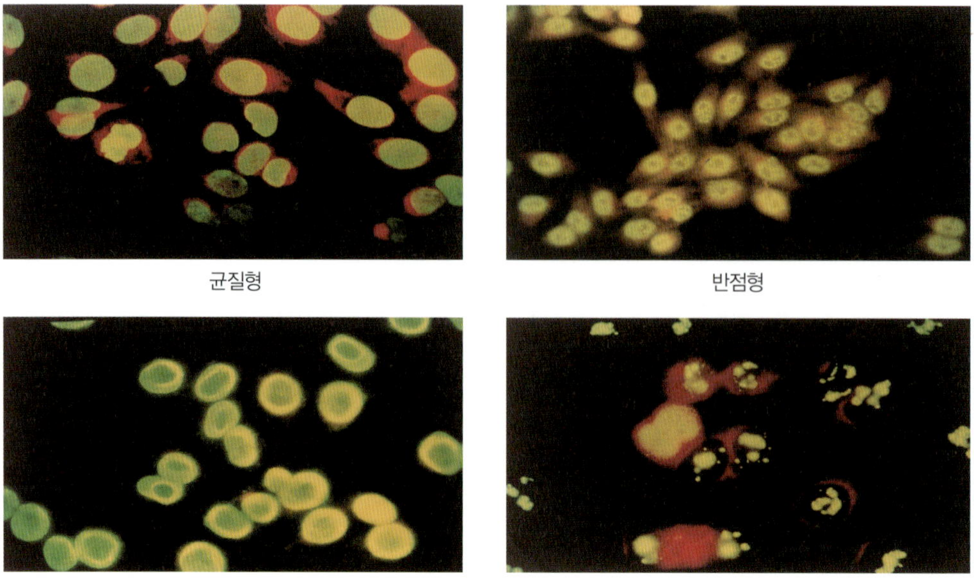

균질형 반점형

주변형 핵소체형

[그림 1-5] 형광항체법의 대표적인 염색 패턴

염색형	염색체가 시사하는 주요 특이항핵항체	관련 질환
균질형(homogenous pattern)	anti-histone Ab(LE인자)	SLE
핵소체형(nucleolar pattern)	anti-RNA polymerase I Ab anti-U3-RNP Ab anti-ribosome Ab anti-7-2RNP(To/Th) Ab anti-PM-Scl Ab, 그 밖의 anti-RNA Ab	SSc
주변형(peripheral pattern)	anti-DNA Ab	SLE
반점형(speckled pattern)	anti-Sm Ab, anti-Ki Ab, anti-topoisomerase I(anti-Scl-70) Ab anti-SS-B Ab(anti-La Ab) anti-U1-RNP Ab, 기타 nonhistone nuclear protein에 대한 Ab anti-centromere Ab	SLE(anti-Sm, anti-Ki) 미만성 전신피부경화증(anti-Topo I) Sjögren 증후군(anti-SS-B) MCTD·중복 증후군(anti-U1-RNP) CREST형 전신피부경화증

[표 1-3] 염색체가 시사하는 항체 및 관련 질환

4) 항핵항체 ANA와 대응항원, 양성이 되는 질환

알파벳이 붙어 있는 이름의 항체가 항핵항체라고 기억하면 될 것이다. 대응 항원으로 분류하면 다음의 4가지로 분류할 수 있다.

- 항DNA 항체
- 항histone 항체
- 항nonhistone nuclear protein 항체
- 항핵소체 항체

① 항DNA 항체

DNA를 항원으로 하는 경우, 반응하는 DNA 형상의 차이로 두 가닥 DNA 사슬(double strand DNA ; dsDNA), 한 가닥 DNA 사슬(single strand DNA ; ssDNA), 두 가닥 DNA 사슬 및 한 가닥 DNA 사슬(double/single strand DNA ; ds/ssDNA)의 3가지로 분류할 수가 있다.

항dsDNA 항체는 SLE에 특이적이지만, 항ssDNA 항체는 SLE 이외에 MCTD, SSc, Sjögren 증후군 등 다른 결합조직 질환에서도 양성이 된다. 항DNA 항체의 염색 패턴은 주변형(peripheral pattern)이다.

항DNA 항체의 요점

- 대응항원은 DNA
- 항dsDNA 항체는 SLE에 특이적
- 염색 패턴은 주변형

② 항histone 항체

Histone이란 DNA가 감겨 있는 단백질이다(**그림 1-6**). 히스톤핵단백질(histone nuclear protein)이라고도 한다. Anti-histone Ab가 양성이 되는 질환으로서 SLE가 가장 중요하다. 이 anti-histone Ab는 LE cell현상에 관여하고 있는 인자이기 때문에, anti-histone Ab를 LE 인자라고 하는 경우도 있다. 염색 패턴은 균질형이다.

항histone 항체의 요점

- 대응 항원은 histone이다.
- 항histone 항체는 SLE에서 볼 수 있다.
- 항histone 항체를 LE인자라고도 한다.
- 염색 패턴은 균질형이다.

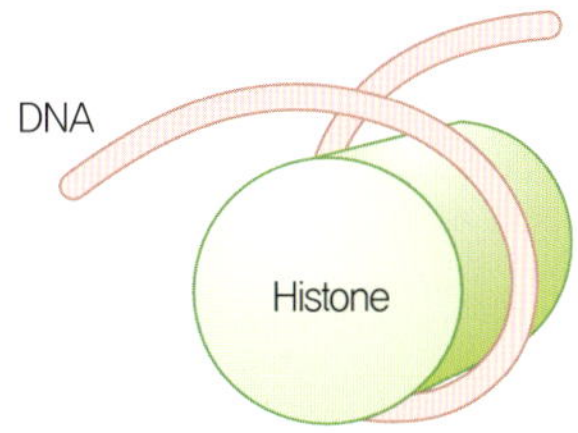

[그림 1-6] Histone

③ 항nonhistone nuclear protein 항체

핵에 존재하지만, 히스톤이 아닌 단백질을 비히스톤핵단백질(nonhistone nuclear protein)이라고 한다. 이 범주에 포함되는 항체는 매우 많다(표 1-4).

항핵항체	대응항원	관련 질환
anti-U1 RNP Ab	리보핵단백질	MCTD
anti-Sm Ab	리보핵단백질	SLE
anti-Scl-70 Ab	DNA topoisomerase I	SSc
anti-centromere Ab	centromere	CREST syndrome
anti-Jo-1 Ab	histidyl tRNA 합성효소	다발근육염/피부근육염
anti-SS-A Ab anti-SS-B Ab		Sjögren's syndrome

[표 1-4] Anti-nonhistone nuclear protein Ab의 정리

비히스톤핵단백질 중에서 핵내의 RNA에 결합되어 있는 것이 있다. 그 단백질과 RNA 복합체를 리보핵단백질(ribonucleoprotein ; RNP)이라고 한다(그림 1-7). 특히, uridine을 많이 포함한 RNA를 U-RNA라고 하고, 그 리보단백질을 U-RNP라고 한다. U-RNP의 subtype은 U1-RNP에서 U6-RNP까지 6가지이다.

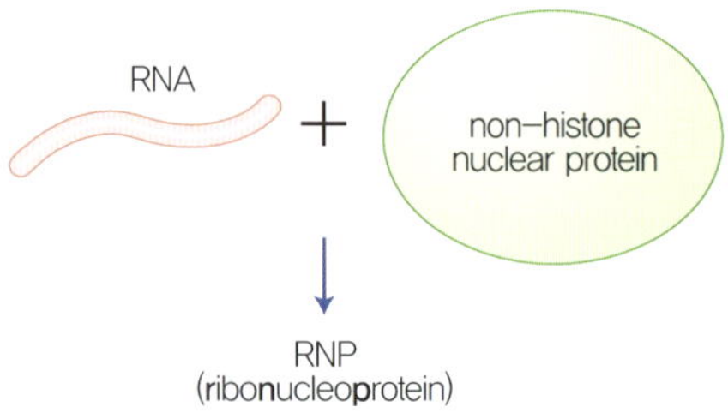

[그림 1-7] RNP

항U1-RNP 항체가 100% 양성이 되는 것은 MCTD이다. 한편으로 SSc 중에는 항U3-RNP 항체(+)인 것이 있다.

항Sm 항체의 대응항원은 U-RNP군에 공통으로 존재하는 RNA결합 nonhistone nuclear protein이다(U1, U2, U4/6, U5-RNP). 항Sm 항체는 SLE에 대해 특이성이 높은 항체이다.

Smith라는 이름의 환자에게서 발견된 항체이므로, 그 머리글자를 따서 항Sm 항체라고 명명하였다. 대응항원의 특징에 따라 MCTD에서도 항Sm 항체가 양성이 되는 경우가 있다.

항Scl-70 항체는 SSc에 대해서 특이성이 높은 항체이다. 대응항원은 70kD의 단백질이다. 그 후의 연구에서 대응항원은 DNA topoisomerase I이라는 것이 밝혀졌다. DNA topoisomerase I은 DNA를 절단하여 나선구조를 느슨하게 하는 효소이다.

항centromere 항체는 centromere A, B, C를 표적 단백으로 하며, CREST syndrome에서 높은 빈도로 나타나는 항체이다. CREST syndrome은 SSc의 아형이다(그림 1-8).

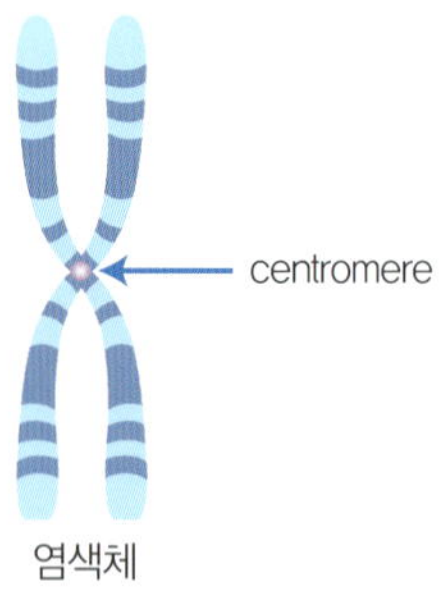

[그림 1-8] Centromere

항Jo-1 항체는 다발근육염(PM)/피부근육염(DM)에 대해 특이성이 높은 항체이지만, 양성률은 높지 않다. 대응항원은 aminoacyl tRNA 합성효소 중의 histidyl tRNA 합성효소이다. Aminoacyl tRNA 합성효소란 아미노산을 tRNA에 결합시키는 효소이다.

Histidyl tRNA 합성효소(synthetase)는 histidine을 tRNA에 결합시키는 효소이다. RNA 위로 ribosome이 주행하여 단백질을 합성하는데, 그 때에 아미노산을 공급하는 것이 tRNA이다. 아미노산의 운반책인 tRNA에 아미노산을 쌓아두는 것이 aminoacyl tRNA 합성효소이다(그림 1-9).

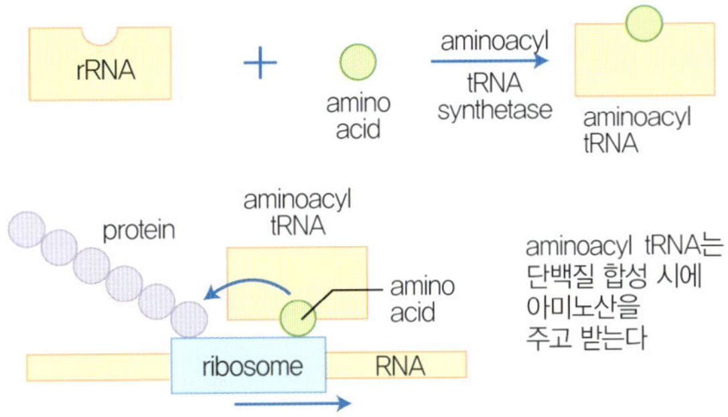

[그림 1-9] Aminoacyl tRNA synthetase

항SS-A 항체, 항SS-B 항체는 Sjögren 증후군에서 양성이 되는 항체이다. Sjögren 증후군의 머리글자를 따서 SS라고 명명하게 되었다. Sjögren 증후군에 있어서 항SS-A항체 양성률은 50~60%로 높지만, 다른 질환, 예를 들면, SLE나 RA 등에서도 양성이 된다. 즉, 특이도가 낮은 것이다.

이에 비해 항SS-B 항체는 Sjögren 증후군에서 양성률이 40% 전후로 떨어지지만, 특이도는 높아진다. 항SS-B 항체는 항SS-A 항체가 양성인 환자에서만 볼 수 있다.

Nonhistone nuclear protein 항체의 특징

- 염색 패턴은 모두 반점형

④ 항핵소체 항체

항핵소체 항체는 피부경화증(SSc)에 많다. 항핵소체 항체 = SSc라고 기억해 두자.

항핵소체 항체에는,

- 항RNA polymerase I, II, III 항체
- 항U3-RNP 항체
- 항NOR-90 항체

등이 있지만 특별히 명칭까지 기억할 필요는 없다.

항핵소체 항체의 요점

- 항핵소체 항체이면 피부경화증(SSc)
- 염색 패턴은 핵소체형

⑤ 각 질환에서 항핵항체(ANA)의 출현빈도

위에서, 대표적인 항핵항체(ANA)를 간단하게 소개하였는데, 여기에서는 그 출현빈도에 대하여 소개하겠다(표 1-5).

ANA	RA	SLE	SSc	PM/DM	MCTD	Sjögren's syndrome
ANA	40~60	>95	70~90	40~60	100	75~90
dsDNA	<10	**60~80**	<10	<10	10~15	<10
Histone	20~30	60~80	<5	<5	<5	<5
Sm	<5	**20~30**	<5	<5	<10	<5
U1-RNP	<5	30~40	10~15	<15	**100**	<10
SS-A	15~25	40~50	<10	<15	10~15	60~70
SS-B	<5	<10	<5	<5	<5	**40**
Scl-70	<5	<5	**30~40**	<5	<5	<5
Centromere	<5	<5	15~20	<5	<5	<5
Jo-1	<5	<5	<5	**15~30**	<5	<5
PM-Slc	<5	<5	<5	30~50	<5	<5

[표 1-5] 각종 결합조직 질환에서의 ANA의 출현율(%)

이 **표 1-5**는 어디까지나 출현빈도이므로 특이도는 표시되어 있지 않다. 예를 들면, SLE에서 anti-Sm Ab의 출현빈도는 20~30%이지만, SLE에 대한 질환 특이도는 95%이다. 즉, SLE 환자로부터 anti-Sm Ab가 검출되는 빈도는 1/5~1/3이지만, anti-Sm Ab가 검출되면 거의 SLE가 틀림이 없다는 것이다. 질환 특이도가 높은 것은 굵은 글씨로 나타냈으니 기억해 두기 바란다.

4. 류마티스인자 Rheumatoid factor : RF

1) 정의

류마티스인자(RF)란 면역글로불린인 IgG의 Fc 부분에 대한 자가항체이다. RF의 대부분은 IgM이지만, IgG, IgA의 각 클래스의 RF도 존재한다.

일반적으로 RF는 IgM이라고 기억하자. 류마티스열(rheumatic fever)도 줄여서 RF로 표현하는데, 여러분은 문맥상으로 보아 어느 쪽의 RF인지 파악할 수 있어야 한다.

2) 류마티스인자의 측정 의미

RA에서는 약 80%가 RF 양성(+)이 된다. 그러나 RA 이외에도 RF가 양성이 되는 질환이 몇 가지 있다(**표 1-6**).

RF가 양성이기 때문에 RA라고는 단언할 수는 없지만(질환 특이성이 낮다) 감수성이 높기 때문에 RA 진단기준의 한 항목으로 되어 있다.

1. 결합조직 질환
만성 RA, Sjögren 증후군, 전신홍반루푸스(SLE), 피부경화증(SSc), 혼합결합조직병(MCTD), Wegener's granulomatosis
2. 만성 세균감염증
아급성 세균성 심내막염(SBE), 결핵, 매독, 나병
3. 바이러스 감염증
HIV 감염증, EBV 감염증, 기타 바이러스 감염증, 백신접종
4. Hypergammaglobulinemia를 수반하는 질환
Cryoglobulinemia, macroglobulinemia, sarcoidosis, 만성 간질환

[표 1-6] 류마티스인자 양성을 나타내는 질환

또, 혈중 RF의 양도 중요한 정보가 된다. RF의 양이 많은 경우 다음과 같은 질환을 의심해 볼 수 있다.

- 병이 진행된 RA
- 혈관염(vasculitis)을 동반하는 RA(malignan-t RA)
- 피하결절을 동반하는 RA
- 고령자의 RA

5. LE cell

SLE 환자의 혈액, 골수 또는 관절액 중에서 **그림 1-10**에 나타난 것과 같이 특수한 세포를 볼 수 있는 경우가 있다. 이 세포를 LE cell(lupus erythematosus cell)이라고 하는데, 이 세포가 형성되는 기전은 다음과 같다.

〈LE cell의 기전〉
환자의 혈청 속에 항histone 항체가 존재하고 있다.
→ 시험관 내에서 세포가 파괴된다.
→ 핵이 노출된다.
→ Histone에 항체가 결합한다(LE체).
→ 단핵구, 호중구가 이것을 탐식한다.
→ 대식세포의 핵이 편재되어 이와 같은 특수한 형태가 된다.

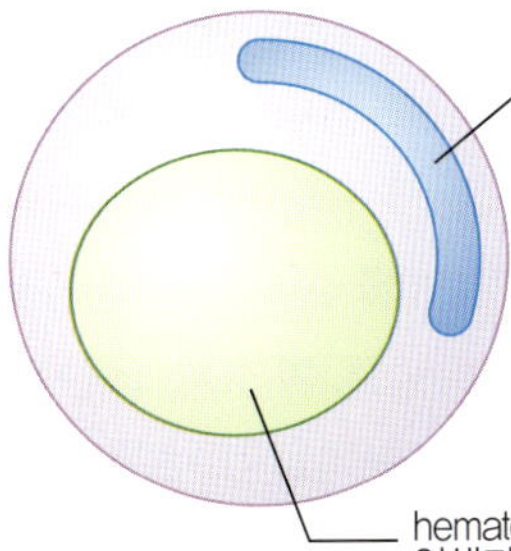

[그림 1-10] LE cell

LE cell이 생기는 현상을 LE cell 현상이라고 한다.
이 LE cell 현상을 일으키는 인자에 대한 연구가 ANA의 발견으로 이어진 것이다.
LE cell 현상은 결합조직 질환이 자가면역 질환이라는 주장을 강하게 뒷받침하고 있다. 그러나 LE cell 현상은 in vitro에서 나타나는 현상에 지나지 않는다. 생체 내에서 이런 항원항체 반응이 일어나는지의 여부는 증명되지 않고 있다.
그림 1-10과 같이, 전형적인 LE cell이 다수 보이는 것은 SLE뿐이다.

이상으로, 결합조직 질환에 대해 대강 이해하였을 것이다. 또 검사소견도 어느 정도 파악할 수 있게 되었을 것이다. 각론으로 넘어 가기 전에 p.22의 지식넓히기 1. 항목에서 자세히 살펴 사고를 넓히기 바란다. 급성기 반응물질, 적혈구침강속도(ESR), CRP, 철, 구리 등의 염증 표지자에 대해서 설명하였다.
「지식넓히기」에서 설명한 것은 어디까지나 일반적인 것이며 결합조직 질환과 관련해서는 결과만 알아두면 된다.

5 치료제

결합조직 질환에 대해서는 항염증 · 면역억제 또는 조절을 목적으로 하여 약물요법을 실시한다. 스테로이드, NSAIDs, 면역억제제 등을 투여한다.

1. 스테로이드 부신피질스테로이드, Glucocorticosteroids

부신피질에서 생산되는 스테로이드 호르몬 중에서, 주로 글루코코르티코이드 활성을 가진 코르티졸이나 그 합성약이 스테로이드로서 사용된다.

스테로이드 호르몬은 전사인자로서 특정의 유전자발현(단백합성)을 조절함으로써 다양한 작용을 발휘한다. 스테로이드는 이러한 작용 가운데, 염증성 매개체 등의 발현 제어(항염증 · 면역억제)를 목적으로 투여한다. 따라서 스테로이드의 효과가 나타나기까지는 시간이 걸린다. 그리고 스테로이드를 일정량 장기 투여하면 그 면역억제작용에 의해 감염 위험이 높아진다(감염성 증가). 또, 호르몬 작용(당신생 · 단백분해 항진, 미네랄코르티코이드 활성 등)이 지나치게 증가하여 부작용으로서 나타난다.

① **코르티졸의 약리 작용 및 부작용**

② **스테로이드의 종류(전신 투여에 이용되는 것)(표 1-7)**

히드로코르티존(나트륨인산)의 활성을 1로 했을 경우의 각 스테로이드의 활성을 나타낸다. 각 스테로이드의 1정 중에는 기본적으로 인간의 1일 분비량인 히드로코르티존 20mg에 해당하는 양이 함유되어 있다.

작용	부작용(장기투여에서 발현)
① 항염증 · 면역억제 작용 • 사이토카인 합성↓ • T세포 기능↓ • 백혈구 유주↓ • 아라키돈산 cascade 진행↓	감염성 증가
② 대사에 대한 작용 • 당신생↑ • 글리코겐 합성	• 내당능↓(2차성 당뇨병)
• 단백분해↑	• 근위축 적색 피부선조
• 지질대사에 대한 영향	• 중심성 비만, moon face, 고지혈증, buffalo hump
③ 전해질 · 물 · 혈압 조절작용 • 미네랄코르티코이드 활성	• 고혈압, 부종
④ 뼈대사에 대한 작용 • 뼈형성 억제	• 골다공증, 요로결석
⑤ 정신 · 신경계에 대한 작용	• 우울, 불안, 불면, 다행
	• 그 외, 녹내장 · 백내장, 대퇴골두괴사, 소아의 성장억제, 부신억제에 의한 스테로이드 이탈증후군 등

※ 부작용은 Cushing 증후군의 코르티졸 과잉 상태의 증상과 공통된다.

스테로이드	작용력(능력평가)		작용 시간
	항염증작용 (글루코코르티코이드 활성)	전해질작용 (미네랄코르티코이드 활성)	
히드로코르티존 hydrocortisone (코르티졸 cortisol)	1	1	짧다 (8시간)
프레드니솔론 prednisolone	4	0.8	중간 (1일)
메틸프레드니솔론 ethylprednisolone	5	0	
덱사메타손 dexamethasone	25	0	길다 (2일)
베타메타손 betamethasone	25	0	

[표 1-7] 전신 투여에 이용되는 스테로이드의 종류

2. 아라키돈산 연쇄반응 Cascade과 항염증제

항염증제에는 스테로이드와 비스테로이드성 항염증제(NSAIDs)가 있으며, 공통의 기전에 아라키돈산 연쇄반응의 억제가 있다(그림 1-11).

염증증상을 억제하여 염증에 동반되는 조직손상을 경감시키는 것을 목적으로 사용한다. 모두 염증성 매개체의 합성에 관련되는 효소를 억제한다.

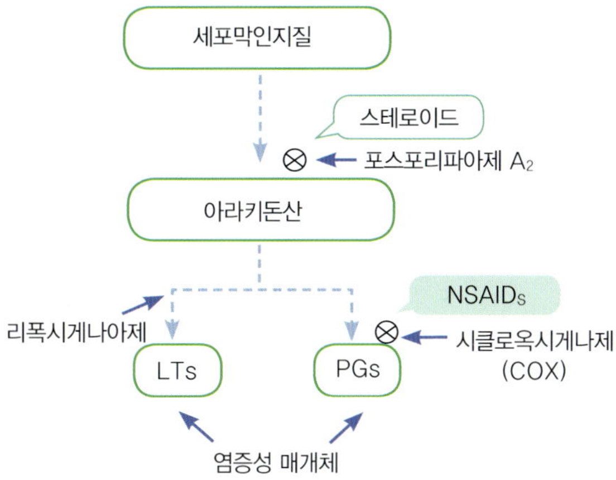

• LTs : 류코트리엔(leukotriene)류
• PGs : 프로스타글란딘(prostaglandin)류

[그림 1-11] 항염증제의 작용기전

3. NSAIDs 비스테로이드성 항염증제, Non-steroidal anti-inflammatory drug

NSAIDs는 아라키돈산 연쇄반응(cascade)에서 중요 효소인 시클로옥시게나아제(COX)를 저해해, 프로스타글란딘류(PGs)의 생산을 억제함으로써 작용을 나타낸다. COX에는 아류형 COX1, COX2가 존재하며, 이 중 염증반응에 관여하는 것은 COX2이다. COX2는 염증 국소의 조직에서 합성되어 염증반응을 촉진하는 PGs를 생산한다. NSAIDs는 COX2를 저해함으로써, 항염증 · 해열 · 진통작용을 발휘한다.

한편, COX1은 대부분의 조직에서 항상 발현해 있는 것으로, 위점막보호나 신장의 혈류조절 등 생체의 생리기능 조절에 작용한다. NSAIDs는 COX1도 저해하기 때문에 부작용이 발생한다(표 1-8).

부작용을 억제하기 위해서 COX2만을 선택적으로 저해하는 NSAIDs(COX2 저해제)도 개발되었으나 심혈관계의 부작용이 문제가 되고 있다.

약리작용	NSAIDs(대표적인 것)	부작용
항염증 작용 해열 · 진통작용	아스피린(aspirin)	소화성궤양 신장장애 간장애
	인도메타신(indomethacin)	
	디클로페낙(diclofenac)	
	록소프로펜(loxoprofen)	

※ 아스피린의 소량 투여는 항혈전요법으로 이용된다.

[표 1-8] NSAIDs의 종류와 작용

4. 면역억제제 (표 1–9)

면역담당세포를 손상시켜 면역억제작용을 하는 치료제이다. 한편, 정상 세포에 대한 독성도 강하기 때문에 부작용이 문제가 된다. 주로 스테로이드 등의 제1선택약이 효과가 없는 경우에 사용되지만, 난치성 병태에서는 스테로이드와의 병용이 제1선택이 된다.

대부분 효과가 느리기 때문에, 치료효과 판정에는 수개월이 걸린다. 또 최근에는 그 밖에도 특정의 사이토카인(TNF－α등)이나 분자만을 표적으로 한 infliximab 등의 생물학적 제제가 개발되어 류마티스관절염을 중심으로 높은 효과를 나타내고 있다.

결합조직질환에 사용되는 주된 면역 억제제	결합조직질환에 대한 적응	대표적인 부작용
메토트렉세이트* (methotrexate)	·RA 외	·간장애 ·간질폐렴 ·골수억제
레플루노미드* (leflunomide)	·RA	·간질폐렴 ·골수억제
아자티오프린 (azathioprine)	·혈관염 증후군 ·SLE 외	·간장애 ·췌장염/이자염 ·골수억제
시클로포스파미드 (cyclophosphamide)	·SLE ·혈관염 증후군	·출혈성 방광염 ·불임 ·골수억제
시클로스포린 (cyclosporine)	·Behçhet병 ·건선성관절염 ·루푸스신장염	·신장장애 (신장독성이 강하다) ·혈압상승
FK506(tacrolimus)	·RA ·루푸스신장염	·신장장애

＊ methotrexate와 Leflunomide는 DMARDs(항류마티스제)에 도 포함된다.

[표 1–9] 면역억제제

플러스 코너

1. 염증 Inflammation 으로 어떤 현상이 일어나는가? … 생화학적 측면

1) 염증의 이해에 앞서

(1) 혈청단백질

우선, 혈청단백질에 대해 알아보자. 혈청단백질이란 혈청 속에 존재하는 단백질을 말한다. Aalbumin, globulin은 물론, transferrin과 ceruloplasmin도 혈청단백질이다. 혈청단백질에는 여러 가지가 있으며 분자량도 극성도 다르다. 이렇게 분자량과 극성이 다른 단백질은 전기이동(electrophoresis)을 이용해서 분리하고 있다.

전기이동의 원리는 다음의 3가지이다.

- 마이너스 극성을 띠는 물질은 양극으로 끌려간다.
- 플러스 극성을 띠는 물질은 음극으로 끌려간다.
- 무거운 것은 잘 분리되지 않는다.

혈청단백질을 전기이동해 보면, **그림 A**처럼 몇 개의 덩어리(분획이라고 한다)로 나뉜다. 우선, 크게 2가지로 나누는데 특히 큰 산과 작은 산으로 나눈다. 큰 산을 albumin(Alb) 분획이라고 하고, 그 밖의 작은 산들을 통틀어 globulin 분획이라고 한다.

Globulin 분획은 다시 4개의 산으로 분류되는데, 각각 α_1-globulin, α_2-globulin, β-globulin, γ-globulin이라고 한다.

산의 높이는 혈청 속에서 차지하는 비율(양의 비율)을 나타낸다. Albumin 분획이 높은 것은 혈청 속에 albumin이 풍부하게 존재하기 때문이다.

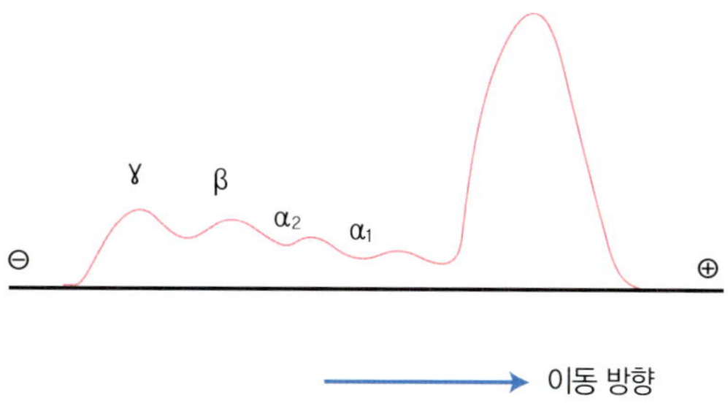

[그림 A] 혈청단백의 전기이동

그런데 지금까지 fibrinogen이 나오지 않았는데 그 이유를 알고 있는가? 혈장(plasma)과 혈청(serum)의 차이를 알고 있는 사람에게는 간단한 문제이다. 혈청은 혈액을 응고시킨 다음에 위에 남는 맑은 액체이므로, 응고에 의해 소비시킨 단백질(fibrinogen이나 응고인자)은 존재하지 않는다. 혈장을 전기이동하면 φ-globulin 분획이 γ 와 β 사이에서 발생한다. 이것이 fibrinogen의 정체이다.

혈청단백질에서 차지하는 각 분획의 비율, 그 분획에 포함된 단백질을 **표 A**에 제시해 놓았으니, 다음 사항을 기억해 두자.

- 혈청 총단백질 6.5~8.0g/dL
- Albumin 4.5~5.5g/dL
- 흔히, 그리스 숫자로 시작되는 단백질을 볼 수 있는데, 그것은 분획을 나타내고 있는 것에 지나지 않는다. 예를 들면 α_1-antitrypsin이 그것이다. 그러나 에피네프린에서 α, β를 같은 것으로 간주하면 안 된다.
- Globin이나 globulin이 붙는 단백질은 globulin 분획 단백질이다.

	%	예
albumin 분획	61.3~74.1	albumin
globulin 분획 α_1-globulin	1.3~2.8	α_1-antitrypsin α_1-antichymotrypsin
α_2-globulin	4.1~10.1	α_2-macroglobulin ceruloplasmin haptoglobin
β-globulin	7.6~10.8	transferrin β_2-microglobulin
γ-globulin	9.5~18.5	immunoglobulin (IgG, IgM…)
(φ-globulin)	(~6.5)	(fibrinogen)

※ φ-globulin 분획은 혈장단백질 이동 시에 나타난다

[표 A] 혈청단백

(2) A/G비(albumin/globulin ratio)

Albumin과 globulin의 비를 A/G비라고 한다. Albumin의 감소, globulin의 증가에서는 A/G비가 저하되고, 그 반대에서는 상승한다. 정상치는 1.1~2.0이다.

다발성 골수종(multiple myeloma) 등, 형질세포 종양에서는 면역글로불린의 증가에 동반해 A/G비가 저하된다.

간질환에 의한 albumin의 감소, 신부전에 의한 누출성 저알부민혈증(hypoalbuminemia)에서는 A/G비가 저하된다.

염증에서도 A/G비가 저하된다. 이유는 다음 페이지에 설명하겠다.

(3) Transferrin이란?

이것은다음에설명하는ceruloplasmin과같은운반단백질(carrier protein)로서 철(Fe)을 운반한다. 철은 이온 상태에서는 신장으로부터 소변 속으로 무제한 배출된다. 그래서 transferrin과 결합하여 토리로부터 누출되지 않도록 한 다음 혈액 속을 돌아다닌다(그림 B).

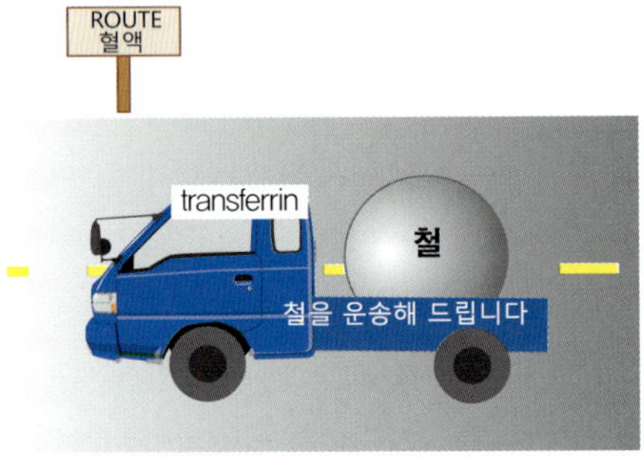

[그림 B] 운송담당 transferrin

(4) Ceruloplasmin이란?

Ceruloplasmin은 구리의 운반단백질이다. 구리의 대부분이 ceruloplasmin과 결합되어 있기 때문에 ceruloplasmin이 감소할 때는 혈청구리도 감소한다. 참고로 말하면, 혈중 ceruloplasmin이 감소하는 질환으로 Wilson병이 중요하다. 이것은 간 · 뇌 · 각막 등에 구리가 침착하는 선천성 대사이상증이다.

2) 염증 시 혈중물질의 변화

(1) 급성기 단백질(acute phase protein)이란?

생체가 침습을 받았을 때, 예를 들면 병원체의 침입이나 외상 · 수술에 의해 조직손상 등을 입었을 때에는,

- 침습의 원인이 되는 인자를 제거하고
- 손상을 수복한다.

이러한 과정에서 일련의 반응이 일어난다. 이 반응과정 전체를 염증 또는 염증반응이라고 하는데, 염증반응에는 면역계가 크게 관여하며 반응 전체를 cytokine이 조절한다.

특히, 병원체의 침입이나 조직장애 후 바로 일어나는 생체쪽의 반응을 급성기 반응이라

고 한다. 구체적으로는 발열, 호중구 증가, 부신호르몬의 증가, 혈관투과성 항진, 혈액응고 · 섬유소용해(fibrinolysis) 상태의 변화, 조직수복의 개시 등의 반응이다. 혈청단백질의 혈중농도의 변화도 그 하나이다. 급성기 반응=급성 염증이라고 생각해도 된다. 또, 염증 반응이 지연되었을 경우는 만성 염증이라고 한다. 급성기가 언제까지이고, 만성기가 언제부터인가 하는 명확한 기준은 없다**(그림 C)**.

급성기 단백질이란 염증의 급성기에 변동하는 단백질을 말한다. 바꾸어 말하면, 급성기 반응의 하나로 급성기 단백질의 변동이 있다.

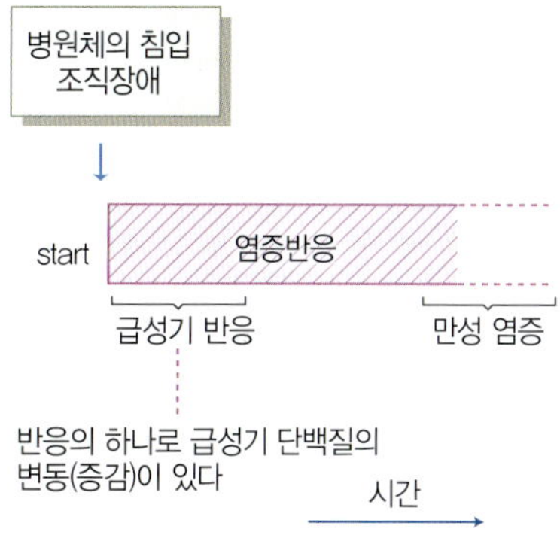

[그림 C] 급성기 반응

(2) 급성기 단백질의 변동

그렇다면 염증의 급성기에 어떠한 단백질이 변동하는 것일까?

이들 단백질의 변동을 대략적으로 파악할 수 있는 좋은 방법이 있다. 그것은 혈청단백질 전기이동이다. 전기이동을 해서 그래프의 산 모양의 크기에 변화가 생긴다면, 실제 검사 데이터(숫자)가 없어도 단백질의 증감이 있었다고 추정할 수가 있다.

우선, 대략적으로 아래와 같은 변화가 보인다.

- Albumin 분획의 감소
- α_1-globulin 분획과 α_2-globulin 분획의 증가

전기이동의 그래프에서 산의 모양은 다음과 같이 된다**(그림 D)**.

이와 같은 변화가 나타났을 경우 급성 염증이 있다고 짐작을 할 수 있다. 그러나 전기이동으로부터는 분획의 증가라는 정보밖에 얻을 수가 없다. 하나의 분획에 포함되는 단백질이 많다고 하는 것은 그만큼 변동하는 매개변수(parameter)가 많기 때문으로, 급성 염증을 의심하게 하는 예민한 지표라고는 할 수 없다.

그래서 개개의 급성기 단백질의 양을 측정하는 것이다. 일반적으로 급성기 단백질

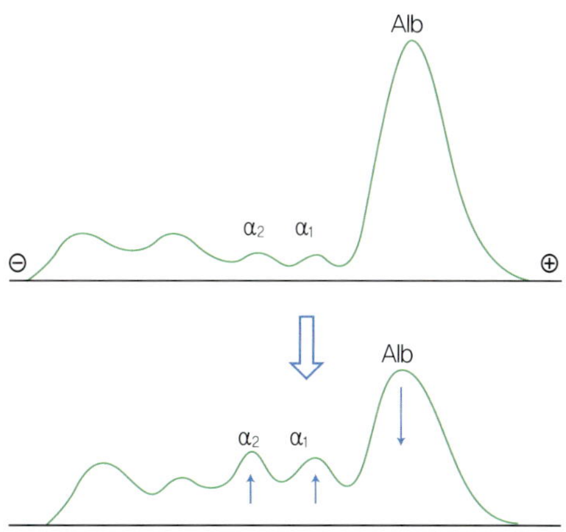

[그림 D] 혈청단백질의 전기이동

은 **표 B**처럼 되어 있기 때문에 이것과 측정결과를 비교해서 판단한다.

급성기 단백질로서 꼭 기억해야 할 것은 다음과 같은 3가지 단백질의 변동이다.

증가하는 것 : CRP, fibrinogen
감소하는 것 : albumin

1. 증가가 분명한 것
- α_1-antitrypsin
- α_1-antichymotrypsin
- α_1-acidoglycoprotein
- haptoglobin
- ceruloplasmin
- 혈청아밀로이드단백질A(SAA)
- C-reactive protein(CRP)
- fibrinogen

2. 증가가 불분명한 것(소비도 진행됨)
- 보체성분(C_3, C_4 등)
- 응고인자(V, VIII)

3. 감소를 나타내는 것
- albumin
- prealbumin
- transferrin

[표 B] 사람의 주요 급성기 단백질

(3) 급성 염증과 만성 염증에서의 차이

둘 다 염증이다. 염증이 치료되지 않고 오래 지속되는 것은 면역계도 활성화 상태를 유지하고 있다는 것이다. B세포계도 계속 작용하고 있기 때문에, 항체생산이 활발해진다. 면역글로불린은 γ-globulin 분획의 단백질이기 때문에 γ-globulin 분획이 증가한다. 급성 염증에서는 아직 γ-globulin을 양산하는 체제가 갖추어져 있지 않다(**본 시리즈 『7. 면역 · 알레르기』참조**. 면역글로불린을 생성하려면 항원의 도입, 분해, 항원제시, helper T cell의 도움, 형질세포로의 분화, 면역글로불린의 양산이라는 긴 과정을 거친다).

만성 염증에서는 급성기 단백질이 어떻게 될까? 만성 염증에서도 급성기 단백질은 똑같이 활동한다. 만성 염증은 급성 염증이 연속해서 일어나고 있는 상태라고 생각하면 쉽게 이해할 수 있을 것이다.

급성기 단백질의 변동은 급성 염증에 제한된 것은 아니다. 급성 염증이나 만성 염증이나, 염증이라는 명칭이 붙은 것이라면 똑같이 증감한다. 특히, CRP나 α_1-antitrypsin, fibrinogen 등 염증으로 증가하는 단백질을 염증표지자라고 하는 경우가 있다.

정리하면 **그림 E**와 같다.

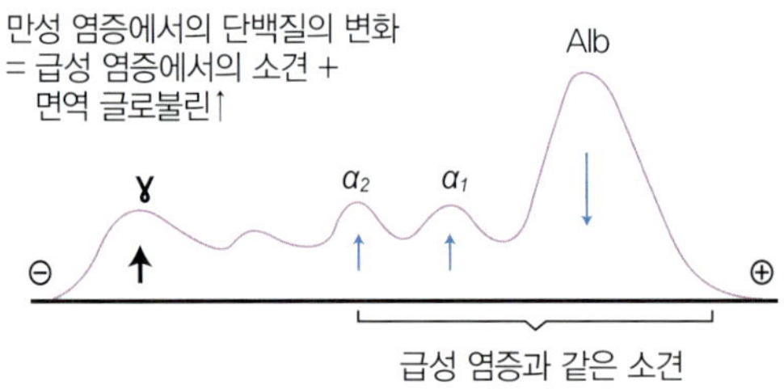

[그림 E] 만성 염증 시의 혈청단백

(4) CRP

급성기 대표적인 단백질이다. CRP라는 말은 C-reactive protein의 약자이다. 주로 간에서 합성되는 당단백질이다. 정의는 폐렴구균의 협막다당체(C-물질)와 반응하여 침강하는 물질이다.

CRP의 생리작용은 불분명한 점이 많지만, 감염증이나 염증에 의해 증가한다. Cytokine, 특히, interleukin-6(IL-6)가 CRP 생산에 관여하고 있다고 알려져 있다. 활성화된 면역담당세포가 IL-6를 방출하여 간에서 만들어지게 한다.

CRP는 염증표지자로서 종종 사용된다. 그 이유는 아래와 같다.

- 증가할 때에는 정상의 1,000배 이상으로 증가하기 때문에 알기 쉽다.
- 조직의 손상, 염증개시로부터 비교적 조기(약 6시간)에 상승하기 때문에 질환의 활동성 변화를 파악하기 쉽다.

CRP 프로필

0.1mg/dL 이하	기준치
1mg/dL 이하	정상으로 판단
1~10mg/dL	중등도의 상승
10mg/dL 이상	높은 수치

다음으로, CRP가 양성(상승)이 되는 질환을 살펴보자.

① 염증(결합조직 질환을 포함)

류마티스관절염(RA)과 결절다발동맥염(PN)에서는 CRP가 양성이 된다. SLE에서는 음성이 되는 경우가 많다. 만약, SLE에서 CRP가 양성이 된다면 감염증을 동반하고 있지 않은지 또는 흉막염/가슴막염, 심막염/심장막염 등의 염증성 질환을 동반하고 있지 않은지 확인한다.

② 조직의 손상, 괴사

외상, 화상, 외과수술 후에 CRP가 상승하고 심근경색, 폐경색으로도 상승한다. 심근경색에서는 발병 후 12~24시간 이내에 CRP가 상승하고, 3일째에는 저하되기 시작하여 1~2주일 이내에 정상화된다. 외과수술 후에는 4~6시간 후에 상승하기 시작한다.

③ 악성 종양

유방암, 소화기계통의 암, 폐암에서 상승한다. 악성 림프종에서는 현저하게 상승한다.

④ 감염증

세균감염증은 다른 감염증(바이러스, 진균)과 비교해 높은 수치를 나타내는 경우가 많다.

(5) Fibrinogen

염증이 있을 때에는 급성기 단백질로서 fibrinogen이 증가한다. CRP에 비해 증가하는 타이밍이 늦다. Fibrinogen의 증가는 적혈구침강속도(ESR)에 큰 영향을 미친다.

(6) Globulin

- 급성 염증에서의 globulin 분획

  α_1 증가, α_2 증가
- 만성 염증에서의 globulin 분획

  α_1 증가, α_2 증가 및 γ증가

(7) Albumin

Albumin은 급성 염증, 만성 염증 모두에서 감소한다. Albumin은 혈청단백질 속에서 차지하는 비율이 높기 때문에 albumin의 저하가 혈청 총단백질의 저하로 이어지는 경우가 많다.

(8) 적혈구 침강속도(ESR)

포인트는 다음과 같다.

- ESR의 측정법
- ESR이 항진, 지연되는 원인
- ESR과 CRP의 발생시간 차이

그럼 순서대로 살펴보자.

① 적혈구 침강속도(ESR)란?

적혈구 침강속도(erythrocyte sedimentation rate ; ESR)는 혈액을 방치해 놓고 혈구성분과 혈장성분이 분리되어 가는 시간을 보는 검사이다.

② ESR의 측정법 (그림 F)

a. 우선, 2.5mL의 주사기에 3.28% 구연산나트륨(sodium citrate) 수용액을 0.4mL 넣는다. 같은 주사기에 환자의 혈액을 1.6mL 넣는다.

b. 주사기에는 total 2.0mL가 들어 있다. 혈액과 구연산나트륨 수용액의 비는 4:1이 되도록 정해져 있다.

c. 주사기를 잘 흔든 후에, 길이 30cm의 가느다란 관에 내용물을 옮긴다.

d. 스톱워치로 1시간 측정해서 붉은 액면이 얼마나 저하되었는지 측정한다(그림 G).

요컨대, 혈액 중의 적혈구가 중력에 의해 떨어지는 것을 관찰하는 것이다. 구연산나트륨을 첨가하는 것은 칼슘을 chelate하여 혈액응고를 억제하기 위해서이다.

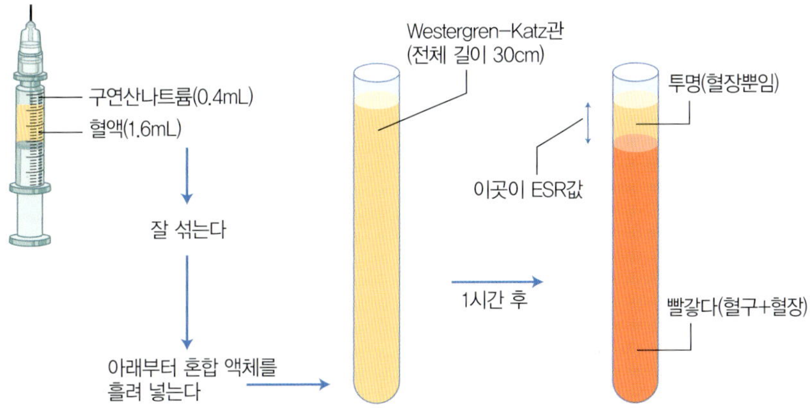

[그림 F] ESR의 측정법

적혈구 침강속도의 기준범위는 다음과 같다.

- 남성 : 10mm/1시간 이하
- 여성 : 15mm/1시간 이하

1시간 방치 후, 액면이 30이나 100mm/1시간으로 낮아지는 것을 ESR이 항진되었다고 하고, 액면이 좀처럼 낮아지지 않는 것을 ESR이 지연되었다고 한다.

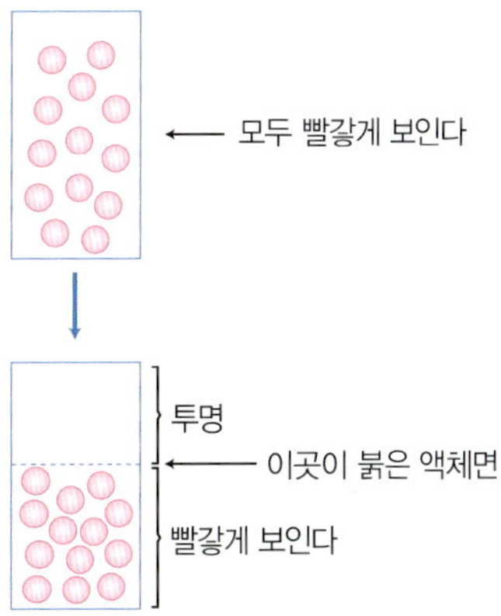

[그림 G] 붉은 액면

③ Rouleaux formation

그림 F에도 있는 것처럼, 1시간 후 아래에 가라앉은 것이 붉게 보이는 이유는 적혈구의 색이 붉기 때문이다. 붉은 부분의 위에 있는 투명부분이 ESR 값이기 때문에 ESR의 빠르기는 우선 적혈구의 많고 적음에 따라 달라진다는 것을 알 수 있다.
적혈구 수가 적으면 붉은 부분도 적어지게 되므로 위의 투명부분이 많아지고 ESR이 항진한다.
반대로 적혈구 수가 많으면 투명부분이 적어지기 때문에 ESR은 지연된다.
정리하면 다음과 같다.

- 빈혈 → ESR 항진
- 다혈 → ESR 지연

또, 적혈구는 중력에 의해 떨어지지만 적혈구가 제각각 흩어져서 떨어지는 것이 아니라 적혈구가 rouleaux formation을 하고 떨어진다. Rouleaux formation이란, 적혈구가 동전을 늘어세운 것처럼 집합하는 것을 말한다 **(그림 H)**. Rouleaux formation된 한 덩어리의 적혈구는 무거우므로 흩어져서 떨어지는 적혈구보다 빨리 침강한다.

그러므로 rouleaux formation이 쉽게 되는 상태라면, 적혈구의 침강의 개시와 침강의 속도가 빨라진다. 적혈구 침강속도의 항진과 rouleaux formation이 쉽게 이루어진다는 사실을 함께 묶어서 생각하자.

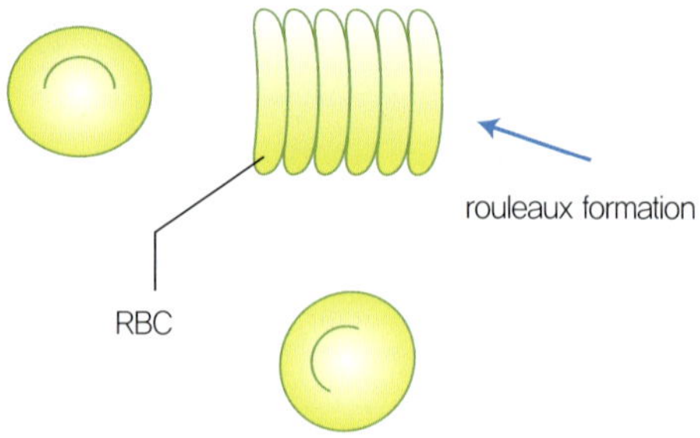

[그림 H] Rouleaux formation

- Rouleaux formation이 쉽게 이루어진다 ······ **ESR 항진**
- Rouleaux formation이 좀처럼 이루어지지 않는다 ······ **ESR 지연**

④ Rouleaux formation을 촉진하는 것

Rouleaux formation을 촉진하는 인자의 하나로 단백질이 있다.

적혈구의 막은 마이너스로 하전되어 있다. 그러나 fibrinogen이나 globulin은 플러스로 하전되어 있고 albumin은 마이너스로 하전되어 있다. 이 하전에 주목하자.

정상적인 상태에서 적혈구가 중력을 받음에도 불구하고 완전히 침전하지 않는 이유는 이 표면 하전에 있다고 생각된다. 적혈구 자체가 마이너스로 하전하고 있기 때문에, 그 반발로 떠오를 수가 있다. 또, 그 주위에 혈청단백질 중 최대량의 albumin이 존재함으로써 적혈구의 반발을 돕고 있다**(그림 I)**. 그럼, 다음 상황에 대해서 생각해 보자.

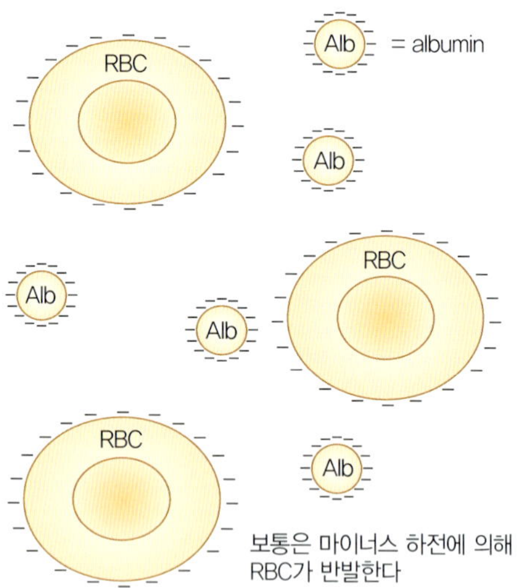

[그림 I] **적혈구의 반발**

a. Fibrinogen, globulin이 풍부하게 존재한다.

이들 단백질이 갖는 양성 하전이 적혈구의 반발력을 약화시켜 버린다. 그뿐만 아니라, 마치 음전하들을 연결시키는 접착제와 같은 역할을 하여, rouleaux formation을 쉽게 한다(**그림 J**).

→ fibrinogen, globulin이 증가하면 ESR은 항진한다.

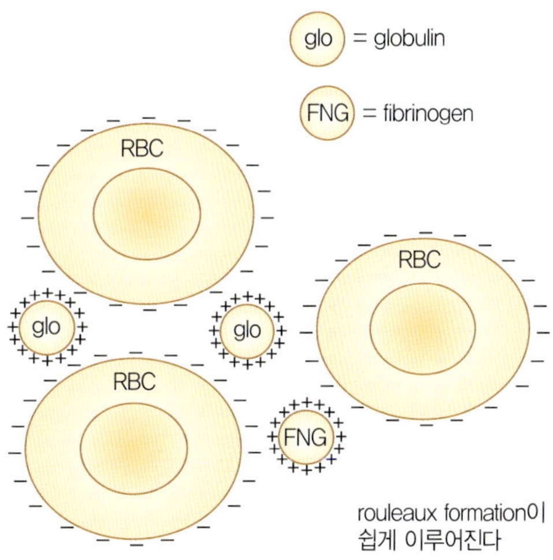

[그림 J] Fibrinogen, globulin이 증가하면 rouleaux formation이 쉽게 이루 어진다

Rouleaux formation

면역글로불린이 현저하게 증가하는 원발성 마크로글로불린혈증(primary macroglobulinemia)이나 다발성 골수종(multiple myeloma)에서 rouleaux formation이 나타난다는 것이 중요하다.

b. Albumin이 감소한다.

적혈구의 반발을 돕는 albumin이 감소하면, 상대적으로 적혈구의 접착을 촉진하는 fibrinogen, globulin이 증가한다. 그 때문에 적혈구가 빨리 접착되어 rouleaux formation도 쉽게 이루어진다.

→ 저알부민혈증(hypoalbuminemia)에서는 ESR이 항진한다.

⑤ ESR이 항진하는 질환

감염증, 염증, 외상 등에서는 「(2) **급성기 단백질의 변동(p.25)**」에서 설명한 것처럼, albumin 감소, $\alpha_{1,2}$-globulin 증가, fibrinogen이 증가하기 때문에 ESR이 항진한다. 이들 단백질의 변화를 ESR이라는 색안경을 통해서 보고 있는 것일 뿐이다. 그러므로 CRP가 양성이 되는 질환에서는 ESR도 증가한다는 것이 중요하다.

고감마글로불린혈증(hypergammaglobulinemia)에서는 γ-globulin이 상당히 높은 수치가 되면 ESR이 항진한다. 그리고 신증후군/콩팥증후군(nephrotic syndrome)에서 ESR이 항진하는 것은 저알부민혈증(hypoalbuminemia)이 원인이다. 고도의 빈혈에서는 ESR이 항진한다.

ESR 항진 질환

- 감염증
- 결합조직 질환 등의 염증성 질환
- 고감마글로불린혈증(hypergammaglobulinemia)

- 원발성 마크로글로불린혈증(primary macroglobulinemia)
- 다발성 골수종(multiple myeloma)
- 한랭글로불린혈증(cryoglobulinemia) 등
- 심근경색(myocardial infarction), 외상(trauma)
- 신증후군(nephrotic syndrome)
- 빈혈(anemia)

⑥ ESR이 지연되는 질환

파종성(범발생) 혈관내응고(증후군) 〈DIC〉에서는 fibrinogen이 소비성으로 감소하기 때문에 ESR이 지연된다. 적혈구증가증에서도 ESR이 지연된다.

ESR 지연 질환

- DIC
- 적혈구증가증
- 저감마글로불린혈증(hypogammaglobulinemia)
- 저피브리노겐혈증(hypofibrinogenemia)

ESR 정상, CRP 양성

- 급성 염증 초기
- DIC를 동반하는 위중한 질환

급성 염증 초기와 회복기에서의 ESR값, CRP값을 그래프로 보면, **그림 K**와 같다.

CRP의 증가 개시는 다른 급성기 단백질의 증가 개시에 비해 빠르기 때문에 그 시간 차이로 인해 ESR 정상, CRP 양성으로 나타난다.

CRP는 급성 염증의 회복기에는 음성이 된다. 회복기에는 새로운 조직장애, 병원체의 침입이 없기 때문에 (있다면 회복기라고 하지 않는다. 만약 있다면 그것은 염증의 지연화이다) CRP는 음성이 되는 것이다. 그에 비해 ESR은 회복기에도 항진하고 있다. Fibrinogen을 비롯해서 ESR 항진의 원인이 된 단백질이 조직의 복구에 필요하기 때문이다.

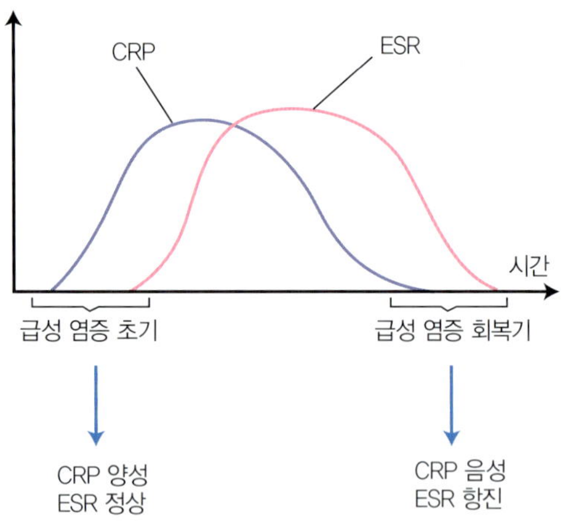

[그림 K] 급성 염증과 CRP, ESR의 움직임

Ⅱ 각론

결합조직 질환에서 고전적 결합조직 질환 6가지만 공부하면 되는 시대는 이미 지나가 버렸다. 그래서 고전적 결합조직 질환을 중심으로 한 새로운 분류를 여기에 제시한다.

1. 고전적 결합조직 질환

- 만성 류마티스관절염(chronic RA)
- 전신홍반루푸스(SLE)
- 피부경화증(SSc)
- 다발근육염 · 피부근육염(PM/DM)
- 결절다발동맥염(PN)
- 류마티스열(RF)

2. 제1 유형 : 관절통 Arthralgia

결합조직 질환은 많은 장기를 침범하는 질환이다. 그중에서도 가장 많이 침범당하는 장기는 관절이다. 「관절을 침범하는 결합조직 질환은?」라는 질문에 대해 「거의 전부」라는 답이 돌아온다. 정도의 차이는 있지만 거의 대부분의 결합조직 질환이 관절증상을 나타내므로 맞는 대답이기는 하지만, 그렇다면 이 '제1 제시'는 별로 의미가 없다.

그러나 「특히 관절증상이 문제가 되는 질환은 무엇인가?」라는 식으로, 관절을 강조해서 문제 제시를 한다면 이러한 답이 나올 것이다. 「만성 류마티스관절염(chronic RA), 류마티스열(RF), 그리고 소아류마티스관절염(JRA) 등…」

요컨대, 만성 류마티스관절염을 비롯한 관절장애가 주요 증상이 되는 질환을 하나의 질환군으로 정립하려는 것이 이 문제 제시의 목적이다.

3. 제2 유형 : 혈관염 Vasculitis

혈관염을 초래하는 질환은 수없이 많으며, 또한 감별하기도 어렵다. 혈관염의 유형, 침범되는 혈관의 굵기, 동맥성인가 정맥성인가 등 혈관염으로 통합해서 정리하여 각 질환과의 차이를 확실히 정립하는 것이 이 문제제시의 목적이다.

4. 제3 유형 : SLE + SSc + PM/DM = ?

SLE, SSc, PM/DM의 3가지 질환이 혼합되어 존재한다. 중복증후군(overlap syndrome)과 혼합결합조직병(mixed connective tissue disease : MCTD)이 여기에 속한다. 특히 혼합결합조직병은 강한 개성을 가지고 있어 '혼합물'이라는 질환 개념을 만들었다.

5. 제4 유형 : Sjögren 증후군

Sjögren 증후군은 고전적 결합조직 질환의 어떤 범주에도 들어가지 않는다.

그래서 과감하게 제시해 보았다.

6. 정리

앞에서 제시된 것을 정리하였더니, 고전적 결합조직 질환에서 **표 2-1**과 같이 되었다.

결합조직 질환은 A~G의 7항목으로 크게 분류된다. 각 분류별로 살펴보기로 하자.

A. 관절염

① 만성 류마티스관절염(chronic RA)
② 악성 류마티스관절염(MRA)
③ Felty 증후군
④ 연소성 류마티스관절염(JRA)
⑤ 성인 스틸씨병(Still's disease)
⑥ 강직성 척추염(spondyloarthropathies)
⑦ Reiter 증후군
⑧ 건선성 관절염
⑨ 변형성 관절증
⑩ 류마티스열(RF)
⑪ 통풍
⑫ 가성 통풍(pseudogout)

B. 전신홍반루푸스(SLE)

① SLE ; systemic lupus erythematosus
② Antiphopholipid antibody syndrome(APS)

C. 피부경화증(SSc)

D. 다발근육염·피부근육염(PM/DM)

E. SLE + SSc + PM/DM

① 중복 증후군(overlap syndrome)
② 혼합결합조직병(MCTD)

F. Sjögren 증후군

G. Vasculitis syndrome(혈관염 증후군)

① 결절다발동맥염(PN)
② 알레르기성 육아종성 혈관염(AGA)
③ Wegener 육아종증(Wegener granulomatous disease ; WG)
④ 과민성 혈관염
⑤ Henoch-Schönlein 자색반(HSP)
⑥ 관자동맥염(TA)
일명 : 거대세포성 동맥염(GCA)
⑦ 대동맥염 증후군
일명 : Takayasu arteritis, 무맥병
⑧ 가와사키병
일명 : 소아 급성 열성 피부점막 림프절 증후군(MCLS)
⑨ Behcet병
⑩ Buerger병

[표 2-1] 결합조직 질환 및 관련 질환의 분류

A 관절염 Arthritis

류마티스관절염(rheumatoid arthritis : RA)에 대해서는 충분히 공부해 두자. 다른 질환에 대해서는 많이 발생하는 부위와 그 원인을 파악하는 것으로 충분하다.

「변형관절염(arthrosis deformans)」 이후의 질환은 결합조직 질환은 아니지만 관절염으로 다루기로 하겠다.

1 류마티스관절염 Rheumatoid arthritis : RA

1. 정의

만성으로 경과하는 원인불명의 전신성 염증성 질환이다. Rheumatic(류마티스의)이 아닌 rheumatoid(류마티스와 유사한)라고 불리는 이유에는 다음과 같은 배경이 있다.

옛날에는 류마티스라고 하면 대부분이 류마티스열(rheumatic fever : RF)이었기 때문에 류마티스열을 진짜 류마티스로 취급하여 이와 유사한 류마티스관절염을 rheumatoid라고 불렀던 것이다.

오늘날에는 류마티스열이 격감했기 때문에 류마티스 질환의 대표라고 하면 류마티스관절염(rheumatoid arthritis)이다.

2. 역학

인구 0.3~0.8%에서 발병하고 여성에게 많은 질환으로 남녀의 비는 1 : 3이나, 60세 이상에서는 남성에게 많이 나타난다. 호발연령은 30~50대이다. 결합조직 질환 중에서 가장 많이 나타나는 질환이다.

3. 병태생리

RA의 원인은 명확히 밝혀지지 않았지만 유전적 소인이나 바이러스, 면역학적 이상 등이 거론되고 있다.

유전적 소인으로서는 HLA-DR 다형, 환경인자로서는 바이러스 감염 등을 생각할 수 있다. 유전적 소인에 환경인자가 더해져 T세포를 중심으로 한 자가면역 반응이 유발되면 관절활막에 염증세포가 모인다.

그러면 활막에서 염증이 일어나 판누스(pannus, 지방층) 형성이나 뼈파괴가 유발된다. RF(류마티스인자)는 자가항체의 하나이며, RF와 IgG가 만드는 면역복합체는 관절병변부에서 호중구를 활성화시켜 염증성 프로스타글란딘 E2나 단백분해효소를 방출시킨다**(그림 2-1)**. RA 병변의 주된 원인은 윤활막에 있다.

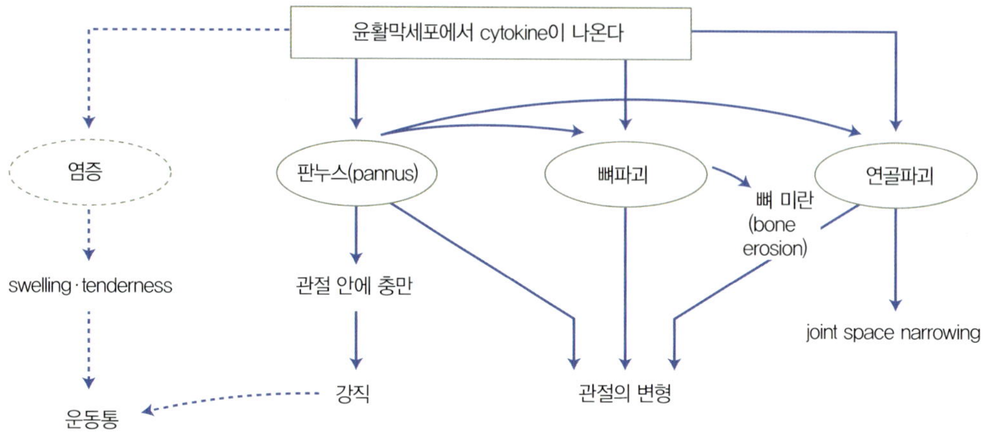

[그림 2-1] 사이토카인(Cytokine)과 관절증상

① 염증이 생긴 결과 **국소 발열을 동반하는 관절 종창과 압통**이 나타난다. 운동통은 염증과 관절변형에 의한 것이다.

② 윤활막의 섬유모세포(B형 윤활막세포)가 증식한다. 윤활막이 증식한 것을 판누스(pannus)라고 한다**(그림 2-2)**.

윤활막 증식이 관절안으로 진입하면, 관절안이 윤활막으로 가득 차서 강직이 발생한다. 그리고 그것이 뼈와 연골에 진입하면 뼈와 연골의 파괴를 초래한다. 이것을 X-선 사진으로 보면, 벌레먹은 것처럼 보이는데 이러한 모양의 뼈 파괴상을 bony erosion(뼈 미란)이라고 한다.

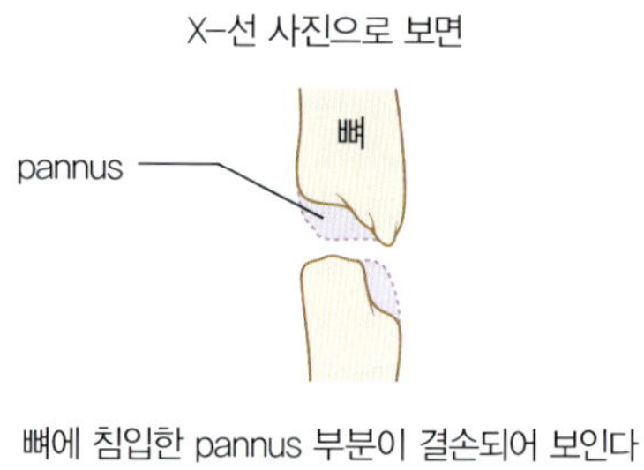

[그림 2-2] Pannus

③ Cytokine이 직접 연골세포(chondrocyte), 골모세포(osteoblast), 파골세포/뼈파괴세포(osteoclast)에 작용하여 뼈와 연골이 파괴된다. 연골파괴는 X-선 사진상에서 관절강(joint space) 협소화로 나타난다**(그림 2-3)**. 물론 뼈의 파괴는 관절 근처에서 발생한다.

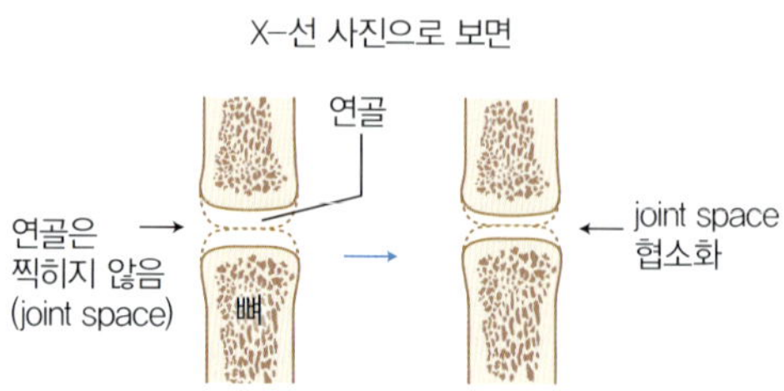

[그림 2-3] Joint space의 협소화

④ 뼈와 연골의 파괴, 윤활막의 증식에 의해 관절의 변형이 나타난다. 부분탈구(subluxation) 되는 경우도 종종 있다.

Ⅱ

TIP

RA와 IL-6

RA의 관절액에서 IL-6의 증가는 여러 가지 정보를 제공해 주기 때문에 중요하다(그림 2-4). IL-6의 생리적 작용에는 다음과 같은 것이 있다.

- 간기능에 작용하여 급성기 단백질을 만든다.
- 혈소판 증가

IL-6에 의해 fibrinogen이 증가하고 albumin이 감소하기 때문에 ESR이 항진한다는 것을 예상할 수 있다. CRP도 증가한다. 아밀로이드단백질도 급성기 단백질의 하나로서 증가한다.
그 결과 RA에서는 ESR이 항진하고 CRP가 양성이 되며 혈소판 수가 증가한다. ESR은 활동성의 지표로서 자주 사용되지만, CRP, 혈소판 수도 병태의 활동성을 잘 반영하고 있다. 이 RA에서 ESR 항진, CRP 양성, 혈소판 수의 증가를 연결시키는 것이 IL-6인 것이다.
만성으로 경과된 RA에 이차성 아밀로이드증이 동반되는 경우가 있는데, 이때에는 만성 염증에 의해 아밀로이드 단백질이 침착했다고 생각할 수 있다. 이것도 IL-6와 연관지어 기억해 두는 것이 좋다.
그 외에 대식세포, T/B세포, 종양괴사인자나 IL-1, 6, integrin family 등의 관여가 시사되고 있다.

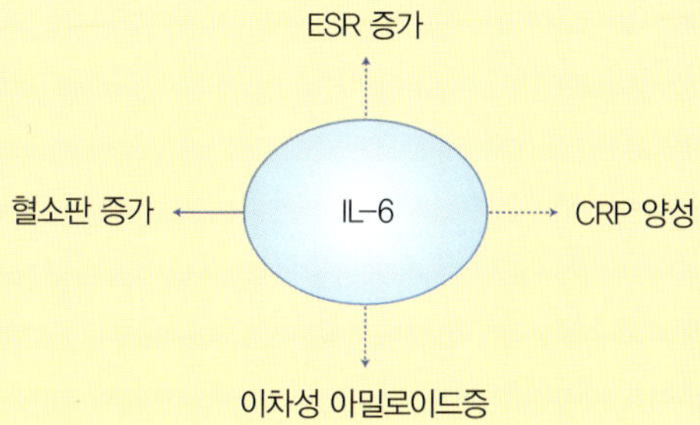

[그림 2-4] IL-6의 작용

플러스 코너

1. 관절의 구조

관절의 구조를 보면(**그림 A**), 뼈의 끝에는 연골이 있고 뼈와 뼈는 관절낭/관절주머니(articular capsule)으로 연결되어 있다. 관절낭의 안쪽면에는 윤활막(synovium)이라는 막이 존재하여, 연골을 제외한 관절낭 안쪽면을 모두 덮고 있다.

윤활막에는 **윤활막세포**가 존재한다. **윤활막세포**에는 **A형 윤활막세포**와 **B형 윤활막세포**의 2종류가 있는데, A세포는 대식세포(macrophage), B세포는 섬유모세포(fibroblast)이다.

관절강/관절안은 **윤활액**(synovial fluid)이라는 액체로 채워져 있다. 이 윤활액을 분비하는 것이 B형 윤활막세포이다.

정상적인 **윤활액**(혹은 관절액)의 특징은, ①높은 점성, ②엷은 노란색, ③투명, ④세포 수<200개/mm3이다.

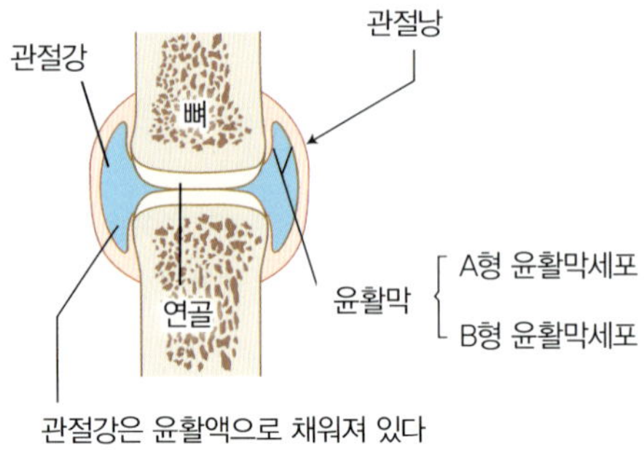

[그림 A] 관절(joint)의 구조

관절틈새(joint space)란 X-선상에서의 소견이다. 연골은 X-선 투과성이기 때문에 하얗게 찍히지 않는다. 그러나 뼈는 하얗게 찍히기 때문에 뼈와 뼈 사이에 틈이 있는 것처럼 보이는데 이 틈을 관절틈새라고 한다. 실제는 연골과 연골이 붙어 있다(**그림 B**).

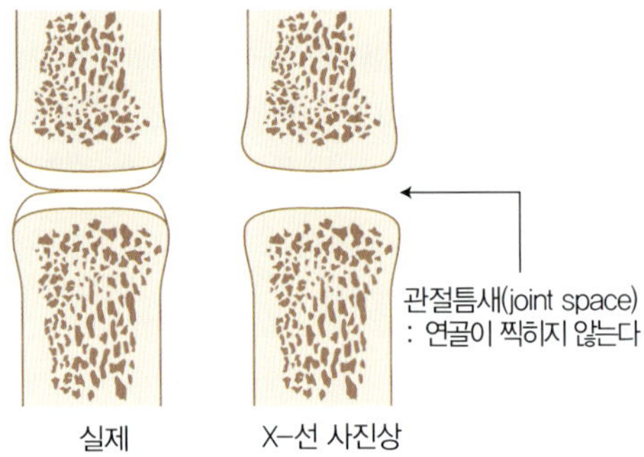

[그림 B] Joint space

4. 임상증상

임상증상은 크게 2가지로 나뉜다. 하나는 관절증상이고, 다른 하나는 관절외증상이다.

1) 관절증상

① 많이 발생하는 부위 (그림 2-5)

근위지관절/몸쪽 손(발)가락뼈사이관절(proximal interphalangeal joint ; PIP 관절), 중수지관절/손허리손가락관절(metacarpophalangeal joint ; MCP 관절 또는 MP 관절), 수관절/손관절, 중족지관절/발허리발가락관절(metatarsophalangeal joint ; MTP 관절)이 초기에 자주 손상을 입는다.

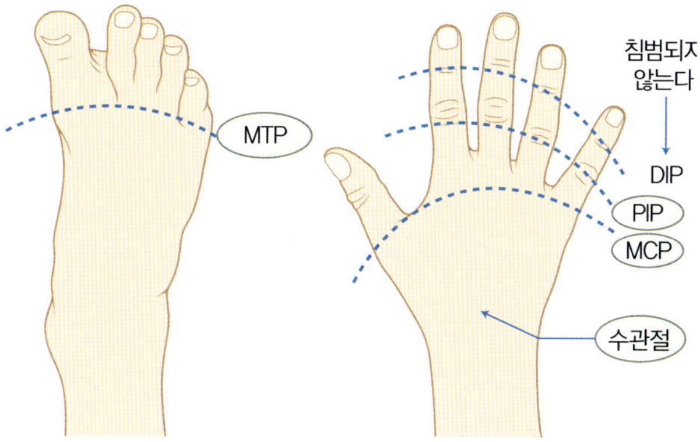

[그림 2-5] 많이 발생하는 부위

병이 진행됨에 따라 큰 관절, 예를 들면, 슬관절/무릎관절, 주관절/팔꿈관절이 침범당한다. 척추는 경추를 제외하고 거의 침범당하지 않는다.

관절이 좌우대칭성으로 침범당한다는 것도 중요한 소견이다.

TIP

- 원위지간관절/먼쪽손(발)가락뼈사이관절(distal interphalangeal joint ; DIP 관절)은 침범당하지 않는다.
- DIP 관절이 침범당했다면 변형관절염(arthritis deformans)을 의심한다.
- 우선 작은 관절이 좌우대칭성으로 침범당한다.
- 척추가 침범당하는 경우는 없다(예외적으로 경추는 침범당할 수 있다).

② 아침 경직(Morning stiffness)

관절은 사용하지 않으면 굳어버린다. 굳는다는 것은 관절을 움직였을 때 통증이 발생하는 것이 아니고, 경직된 느낌이나 어색한 느낌이 드는 것을 말한다. 보통은 손가락에서 느껴진다. 아침 경직은 아침에 막 일어났을 때가 가장 심하고, 일상적인 동작(잠옷을 갈아입거나 세수를 하는 등)을 하면 사라진다. 증상은 1시간 이상 지속되는 것이 일반적이다.

③ 자발통, 운동통

가만히 있어도 발생하는 통증을 자발통, 운동에 동반되어 발생하는 통증을 운동통이라고 한다. 자발통이 나타날 때에는 당연히 운동통도 나타난다.

④ **압통(tenderness), 종창(swelling)**

이것은 타각적인 증상이다. 침범된 관절을 손가락으로 누르면 환자가 아파하는데, 자세히 보면 그 부분이 종창되어 있다.

⑤ **관절 변형**

염증이 반복된 관절은 마침내 변형되고 경직된다. 관절 변형에는 명칭이 붙어 있으므로 외워 두기 바란다(**그림 2-6~10**).

a. 단춧구멍 변형(boutonniere deformity) **(그림 2-6, 7)**

수지배측부/손가락등쪽부분 건막/널힘줄(aponeurosis)이 PIP 관절 부분에서 세로로 찢어지고, 그곳을 굴곡된 PIP 관절이 빠져나간 것을 단춧구멍 변형(boutonniere deformity)이라고 한다. 건막이 찢어진 부분을 단추의 구멍에 비유한 것이다. PIP 관절의 굴곡과 DIP 관절의 과다신전이다.

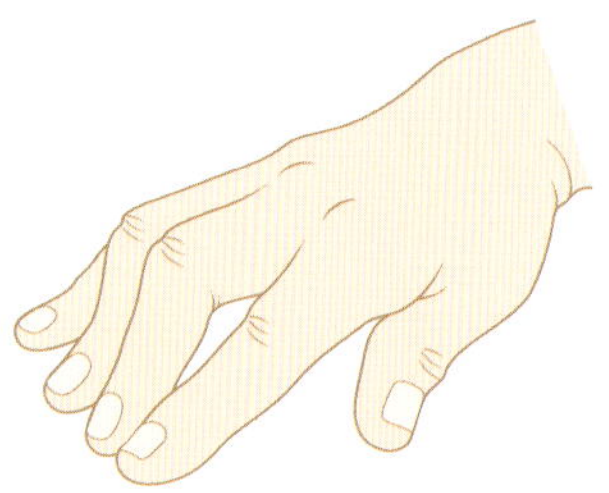

[그림 2-6] 중지, 약지의 단춧구멍 변형

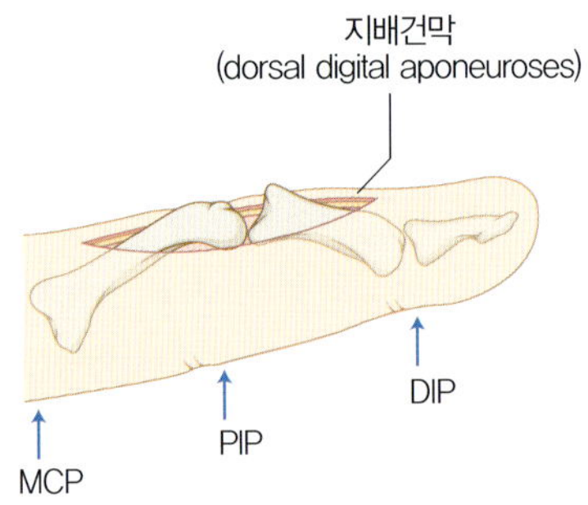

[그림 2-7] 단추구멍 변형

b. 백조목 변형(swan neck deformity) **(그림 2-8)**

MP 관절염에 의한 손바닥 쪽의 아탈구(부분탈구)가 원인이다. DIP 관절의 굴곡이 백조가 목을 쳐든 모양이고, PIP 관절의 신전이 백조의 긴 목에 해당된다. 늘어난 쪽의 힘줄이 잡아당기기 때문에 PIP 관절의 과다신전과 DIP 관절의 굴곡이 발생한다.

c. 척골 편향/자뼈쪽 편위(ulnar deviation) **(그림 2-9)**

지속된 MP 관절염의 결과, 관절의 부분탈구가 발생하고 넷째손가락과 다섯째손가락이 척골/자뼈쪽으로 편위되는 현상이 나타난다.

d. 무지외반증/엄지발가락가쪽휨증(hallux valgus) **(그림 2-10)**

엄지발가락이 바깥쪽으로 휘고 다른 발가락이 안쪽으로 휘거나 바깥쪽으로 휘는 현상이 나타난다.

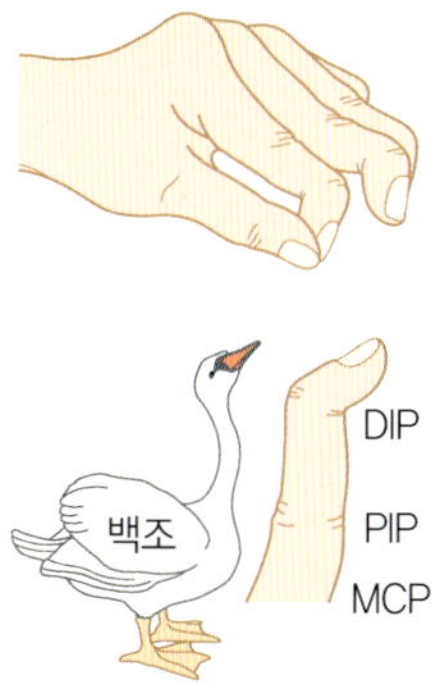

[그림 2-8] **백조목 변형**

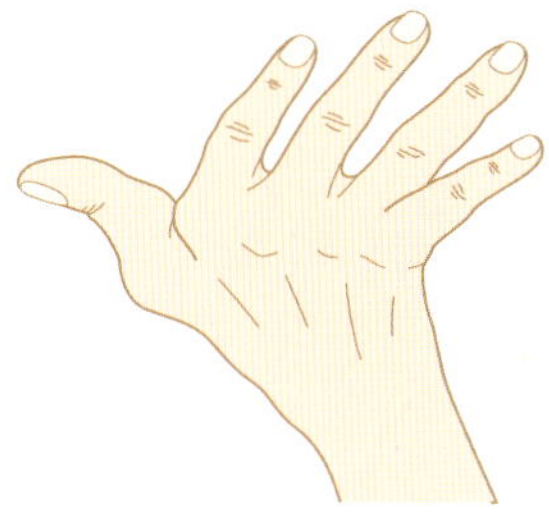

[그림 2-9] **척골 편향**

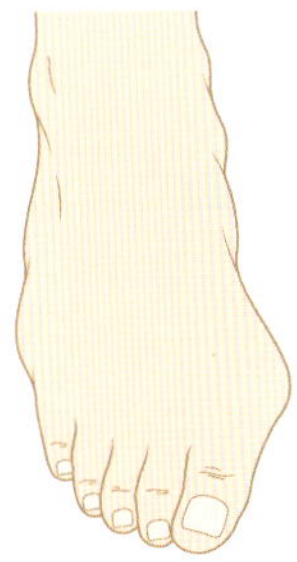

[그림 2-10] **무지외반증**

2) 관절외증상

생명예후를 악화시키는 RA의 관절외증상은 없다. 관절외 병변이 있다면 활동성이 높은 악성 관절류마티스(MRA)를 생각해야 한다. 굳이 말하자면, 폐의 병변이 예후와 관련이 있다.

① 피부

류마티스 결절이라는 피하결절(subcutaneous nodule)이 나타난다. 이 피하결절은 팔꿈치에 자주 생기는데 아프지도 가렵지도 않다. RA의 약 25%에서 나타난다. Raynaud 현상이 발생하지 않는다는 것이 특징이다.

② 폐

간질폐렴/사이질폐렴, 폐섬유증이 하폐영역에서 발생한다. 특히, RA에 진폐증이 동반된 질환을 Caplan 증후군이라고 한다. 우리나라에서는 드문 질환이다.

③ 눈

RA 환자 25%에서는 Sjögren 증후군이 동반되고, 건조성 각막결막염(keratoconjunctivitis sicca)이 나타난다. 공막염(scleritis), 상공막염(episcleritis)도 초래한다.

④ 심장

심외막염, 심근염, 심낭액 저류를 일으키지만 증상은 가볍다. 「RA는 관절을 갉아먹고 심장을 핥는다」라고 표현하는 것처럼, 관절에 심한 장애를 남기는 데 비해 심장의 증상은 가볍고 장애도 남기지 않는다. 이에 비해 「류마티스열(RF)은 심장을 갉아먹고 관절을 핥는다」라고 표현한다.

⑤ 말초신경

윤활막의 증식이 신경을 압박하는 경우가 있다. 수근관/손목굴의 정중앙신경을 압박하는

Carpal tunnel syndrome(수근관 증후군)이 발생하는 경우가 있다. 또, 이차성 아밀로이드증(secondary amyloidosis)에 의해 수근관/손목굴 증후군이 발생하는 경우도 있다. 다발성단일신경염(mononeuritis multiplex)이 있으면 혈관염(MRA)을 의심한다.

⑥ **신장**

RA는 다른 결합조직 질환과는 달리 신장이 손상당하는 경우가 적다.

TIP

- RA에서는 관절이 손상되지만 심장은 거의 정상
- RF에서는 심장이 손상되지만 관절은 거의 정상

만약 신장이 손상당했다면,

- 치료제에 의한 약제기인성의 신장장애
- 2차성 아밀로이드증에 의한 신증후군

이다.

⑦ **빈혈**

만성 염증에 동반해서 속발성 빈혈이 발생한다. 혈청 ferritin이 증가하는 빈혈이다.

5. 관절염의 경과 (표 2-2)

류마티스관절염(RA)은 개인차가 매우 큰 질환으로, 발병이나 진행 속도에 격차가 크다. 대부분의 환자는 염증의 완화와 악화를 반복하면서 만성적으로 진행하지만, 일시적으로 염증을 초래한 후 장기간에 걸쳐 무증상이 되는 증례나, 염증이 완화되지 않고 급속하게 관절 파괴가 진행되는 증례도 있다.

	관절염 초기 →	염증의 악화와 만성화 →	염증 말기와 관절파괴
병태	• 자가면역 반응에 의해서 염증을 일으킨 활막은 혈관신생을 일으키면서 증식하기 시작한다. • 염증반응 때문에 관절강 내의 수분량이 늘어나 관절이 종창해 통증을 초래한다.	• 증식하는 활막이 육아조직(판누스)을 형성해, 뼈 및 연골조직을 침식하기 시작한다. • 연골이 파괴되어 X-선상에서 뼈와 뼈의 간격(관절틈새)의 협소화가 보인다. • 서서히 관절가동역 제한이 진행된다.	• 염증이 말기에 이르면, 관절은 아탈구, 골성강직 등의 변형을 일으켜 가동성을 잃어 기능하지 못하게 된다.

[표 2-2] 관절염의 경과

6. 검사소견

1) 말초혈액

만성 염증에 의해 빈혈이 생긴다. 백혈구수는 정상, 혈소판은 증가한다.

2) 생화학 검사

- ESR 항진
- C RP 양성
- 혈청보체가 상승
- 류마티스인자 양성(80%)

3) 관절액

점성도 저하, 색은 황색, 혼탁, 세포 수 증가, 당 감소, 단백질 증가로 변화한다. 관절액 중에 류마티스인자와 IgG의 면역복합체가 보인다. 또, 그에 따라 관절액 속의 보체는 저하된다.

4) X-선 사진소견

관절 주위의 뼈 위축, 관절틈새(joint space)의 협소화, 뼈파괴상이 나타난다.

TIP

류마티스인자(p.18)

- 양성 → RA, MRA, Felty 증후군, Sjögren 증후군
- 음성 → 스틸씨병, 강직성 척추염, Reiter 증후군, 건선성 관절염 등

7. 진단기준

2010년 미국류마티스학회(ACR), 유럽류마티스학회(EULAR)의 류마티스관절염 분류 및 진단기준에 따라 다음과 같이 진단한다.

1) 대상환자 Target population

① 적어도 1관절의 확실한 활막염소견(부종)이 있고

② 활막염이 다른 질환으로 진단되지 않는 환자

2) 분류/진단기준 Classification Criteria : Score based Algorithm

① 침범 관절

1	대관절	0
2 - 10	대관절	1
1 - 3	소관절(대관절 +/ -)	2
4 - 10	소관절(대관절 +/ -)	3
>10	관절(최소 1소관절 포함)	5

② 혈청학적 검사소견(최소 1검사 필요)

RF(-)	and	ACPA*(-)	0
RF(+)	or	ACPA(+)	2
RF(++)	or	ACPA(++)	3

③ 급성반응물질(최소 1검사 필요)

CRP(정상)	and	ESR(정상)	0
CRP(비정상)	or	ESR(비정상)	1

④ 증상 지속기간

< 6주	0
> 6주	1

* ACPA(Anti-citrullinated protein antibody)

- Anti-Fillagrin Ab로서 AKA/APF/Anti-CCP/Anti-Sa Ab 등을 포함한다.
- 임상적으로 주로 Anti-CCP 적응증이다.
- RF보다 진단가치 높고(민감도: ~75% / 특이도: 〉95%), 1년 / 2-3년 후 RA진단 예측도 높다.
- 이번 기준에 처음 인정되어 RF와 동일한 중요성을 인정받았다.
- RF가 50U/mL 이하인 경우에만 AntiCCP 검사를 고려한다.
- 향후, 검사의 표준화/개선이 더 필요하다.

①~④의 점수 합계가 6점 이상(10점 만점)이면 확실한 RA라고 진단한다.

8. 활동성의 지표

RA의 치료효과를 판정할 목적으로, RA의 활동성을 평가한다. 활동성이 높다는 것은 치료효과가 떨어지거나 적다는 의미이고, 활동성이 낮다는 것은 충분한 치료효과를 얻었으며, 약간의 치료로 충분하다는 의미이다.

활동성의 지표로는 Lansbury index라는 지수가 이용되고 있는데, 그것은 다음 4가지로 구성되어 있다.

① 아침 경직(morning stiffness)의 지속시간
② 손아귀 힘
③ 침범당한 관절의 수
④ ESR

각각에 점수를 매겨 수량으로서 활동성을 나타낸다. Lansbury index가 클수록 활동성이 높다.

그 밖에 활동성을 알 수 있는 유용한 지표로는,

- CRP
- 혈소판수

가 있다.

또, 류마티스인자는 활동성의 지표가 되지 못한다는 것이 중요하다.

9. 치료 및 간호

치료의 목표는 다음과 같다.

① 관절의 통증을 경감시킨다.
② 류마티스의 활동성과 관절의 염증을 막는다.
③ 관절 변형의 예방과 가동역을 확보한다.
④ 파괴되었거나 변형된 관절을 재건한다.

1) 약물요법

관절에서 염증이 일어나고 있기 때문에 염증을 억제하는 약을 사용한다. 또, 금(Gold) 제제와 같이 작용은 잘 알려져 있지 않지만 효과가 있기 때문에 사용하는 약도 있다(표 2-3).

분류		기능	주의해야 할 부작용	일반명
비생물학적 DMARDs	면역 조절제	• 정상적인 면역에 영향을 주지 않고 비정상인 면역기능을 바로잡는다.	• 신장장애 (bucillamine으로 일어난다) • 피부발진 • 간장애 • 백혈구감소	• 사라졸설파피리딘(SASP) • 브실라민(bucillamine)
	면역 억제제	• 면역기능을 비특이적으로 억제한다.	• 간질폐렴 • 골수억제	• **메토트렉세이트 (methotrexate, MTX)** • 레플루노미드(leflunomide)
생물학적 DMARDs	항류마티스 생물학적제제	• 단백질제제로, RA에 관여하는 사이토카인(TNF-α, IL-6등)을 저해한다.	• 감염증(폐렴, 결핵의 재발) • 중화항체 생산에 의한 효과 감소(MTX 병용으로 예방)	• 인플릭시맙(infliximab) • 에타넬셉트(etanercept) • 아다림맙(adalimumab) • 토실리주맙(tocilizumab)
NSAIDs		• 염증과 통증을 억제한다.	• 위장장애 (위궤양 등, PPI 등의 병용으로 예방)	• 록소프로펜나트륨 (loxoprofen sodium)
스테로이드		• 염증과 통증을 강력하게 억제한다. • 장기적인 복용에 의한 부작용이 문제	• 감염증 등(가능한 한 소량을 단기간에만 사용해야 한다)	• 프레드니솔론 (prednisolone)

[표 2-3] RA치료에 쓰이는 약제

(1) 비스테로이드성 항염증제 Non-steroid anti-inflammatory drugs ; NSAIDs

NSAIDs는 cyclooxygenase(COX)계의 효소를 저해함으로써 항염증 작용을 발휘하는데 그 효과가 매우 빠르다. 그러나 위점막의 방어인자인 prostaglandin의 생산도 저해받기 때문에 약 **10%에서 소화성 궤양을 포함한 위장장애가** 발생한다. 따라서 이 제제를 장기 투여할 때에는 변 잠혈검사를 정기적으로 실시해, 빈혈이 급격히 진행된 경우에는 내시경 검사를 해야 한다.

COX에는 **정상에서도 활성화되는 COX-1과 염증병소에서만 활성화되는** COX-2의 두 종류가 있다. COX-2만을 선택적으로 저해하면 위장장애를 일으키지 않고 항염증 작용을 발휘할 수 있다. 이러한 점을 이용하여 COX-2만 저해하는 제제의 개발이 진행되어 미국에서 2종류의 선택적 억제제 · 방해제가 시판되었다. 이 제제는 위점막장애가 적기 때문에 효과는 좋지만 혈소판 응집을 억제하지 못한다(COX-1의 작용)는 단점이 있고, 또한 심근경색의 위험을 증가시킨다는 사실이 밝혀졌다.

위장장애 외에는 피부발진이 0.1~5%에서 나타난다. 그 외 부작용은 간질 신장염, 간장애, 아스피린 천식 등이 0.1% 이하로 드물게 나타난다. 또한 NSAIDs를 여러 가지 병용하는 것은 상승효과를 얻을 수 없을 뿐만 아니라 부작용의 위험성만 증가시키기 때문에 시행해서는 안 된다.

TIP

RA의 치료과정

RA의 치료로서 널리 알려져 있는 원칙이 있다. 그것은 피라미드식이라고 하여 치료효과를 보아가면서 약제를 약한 것에서부터 차례로 강한 것으로 변경(step up)해 가는 방법이다.

RA라는 진단이 내려지면, 우선 약을 사용하지 않고 안정과 운동으로 증상을 조절한다. 통증의 조절에는 NSAIDS가 기본이 된다. 이것으로 증상이 나아지지 않으면 항류마티스제의 투여를 개시한다. 그래도 효과가 없으면 부신피질스테로이드제나 면역억제제를 사용하는 식으로 작용(부작용도)이 강한 약제로 바꾸어간다(또는 추가한다).

그러나 이와 같은 원칙이 크게 변화되기 시작하고 있다. 다른 질환도 그렇지만, 조기 진단·조기 치료보다 더 나은 것은 없다. 특히 RA의 경우, 관절이 염증의 주체이므로 염증이 완전히 치료되지 않고 조금이라도 남게 되면 불가역적인 관절 변형이 초래되어 버린다. 이렇게 되면 환자의 삶의 질(Quality of Life : QOL)이 현저하게 낮아져 버린다. 관절에 염증이 생기지 않으면 파괴나 변형을 초래하지 않기 때문에 가능한 한 초기부터 염증을 빨리 제거하는 것이 최근의 치료방침이다. RA라고 진단이 내려지면 가능한 한 빨리, 효과가 높은 항류마티스제를 사용한다. 그리고 증상이 개선되면 그보다 부작용이 적은 약제로 적절한 시기에 변경해 나간다. Step down해 가는 방법인 것이다.

부신피질스테로이드제는 모든 증례에서 전부 필요한 것이 아니다. 특히 발열·혈관염·빈혈 등의 관절외 증상이 나타난 경우(MRA 등)나 급속하게 관절파괴가 진행되는 예에만 적응된다. 또 RA와 합병되어 SLE 등 다른 결합조직 질환이 나타나 전체 병세가 악화되어 갈 때에도 사용한다. 다만 부작용이 있기 때문에 신중하게 투여해야 한다.

약물요법이 효과를 보지 못하고 관절파괴가 진행되는 경우에는 일상생활에서의 기본적 동작의 개선 목적으로 외과치료를 실시한다. 정형외과에서 실시되는 윤활막 절제, 인공관절 치환 등이 적응된다.

(2) 항류마티스제 Disease-modifying anti-rheumatic drugs ; DMARDs

항진된 면역반응을 조절하는 약제로, 넓은 의미로 methotrexate나 leflunomide 등의 면역조절제도 포함된다. 이러한 제제는 류마티스관절염을 치유하지는 못하더라도 뼈파괴라는 자연 경과를 조절할 수 있다. 뼈파괴가 본격화되기 전 가능한 빠른 시기에 투여해야 한다.

현재는 약 10종류의 DMARDs가 시판되고 있는데 그중에서 대표적인 다섯 가지 제제에 대해 살펴보기로 한다.

① 금(gold) 제제

주사 금제제(aurothiomalate sodium)와 경구 금제제(auranofin)가 있는데 본 질환의 면역이상을 조절하는 기전은 불명확하다. 전자는 methotrexate와 비슷한 정도의 뼈파괴 억제 작용을 갖지만 피부발진, 신장장애(단백뇨), 간질폐렴 등의 부작용이 다른 DMARDs보다 높은 빈도로 나타나 최근에는 별로 사용되지 않는다. 후자는 전자보다 약효는 약하지만 부작용이 비교적 적다. 단, 이 두 가지 제제 모두 효과를 나타내기에는 2~3개월의 시간이 필요하고, 지금까지 나타난 효과가 갑자기 감소하는(escape 현상) 등의 문제점이 있다.

② **설파살라진(salazosulfapyridine ; SASP)**

자세한 것은 불분명하나 T세포나 대식세포에 작용하여 사이토카인의 생산, 분비를 억제한다. 본 제제의 효과 발현율은 그다지 높지 않지만 가끔 재생불량빈혈, 간장애, 신장장애, Stevens–Johnson 증후군 등의 중증 부작용이 나타나기 때문에 주의가 필요하다.

③ **D–페니실라민(D–penicillamine) · 부시라민(bucillamine)**

D–페니실라민은 내복약이지만 주사용 금제제와 비슷한 효과를 나타낸다. 그러나 여러가지 부작용(소화기 장애, 피부발진, 간장애, 신장장애, 골수장애, 간질폐렴, 자가면역질환)이 높은 빈도로 나타나고, 효과가 나타나기까지 2~3개월이 필요한 등의 문제점이 있어 최근에는 사용빈도가 현저하게 감소되었다.

반면, 최근에는 부시라민이라는 D–페니실라민과 유사한 SH 화합물이 등장하였는데 효과는 D–페니실라민과 비슷하지만 중증 부작용이 D–페니실라민에 비해 적기 때문에 많이 사용되고 있다.

④ Methotrexate(MTX)

MTX는 DNA 합성 장애제로, 림프구의 분화 · 증식을 억제함으로써 면역억제 작용을 발휘하지만 혈관생성이나 활막증식을 억제하는 작용도 있다. 본 제제는 DMARDs 중에서 뼈파괴 억제효과, 생활기능 개선효과, 생명예후 연장 효과에 관한 증거가 가장 명확한 제제로, 서양에서는 본 질환의 제1선택약으로 널리 사용되고 있다.

효과 발현까지 걸리는 시간이 1개월로 짧고 부작용의 빈도도 다른 DMARDs에 비해 적다는 장점이 있다. 부작용의 빈도는 높지 않지만 간질폐렴, 골수장애, 위장장애, 간장애, 구내염 등 다양한 질환이 나타날 수 있으므로 신중한 투여가 요구된다.

⑤ Leflunomide(LFM)

LFM은 1998년 미국에서 개발된 약제이며 pyrimidine 합성 장애제로, 림프구의 분화 · 증식을 억제함으로써 면역억제 작용을 발휘한다. 이 제제는 장관이나 간에서 활성형으로 대사되어 장과 간을 순환하는 작용을 한다. 따라서 반감기가 2주로 매우 길어, 부작용이 나타날 경우에는 cholestyramine을 이용해 장과 간의 순환을 차단할 필요가 있다.

LFM의 효과는 MTX와 비슷하지만 탈모, 설사, 발진, 혈압상승, 간기능 장애, 간질폐렴 등의 부작용이 종종 나타난다.

(3) 부신피질 스테로이드

부신피질 스테로이드는 항염증작용이 우수하여 소량 투여로 통증과 종대를 경감시킬 수 있으며 뼈파괴 억제작용도 있다. 다만 방관절성 골다공증이 있는 경우 이 약제로 악화될 수 있기 때문에 꼭 사용해야 할 경우 단기적으로 사용된다.

플 러 스 코너

2. DMARDs 질환조절성 항류마티스제

류마티스관절염(RA)의 질환 활동성을 저하시켜, 관절 파괴의 진행을 억제하는 효과를 가진 약제의 총칭이다. 효과가 나타나기까지 수 주일~수개월의 기간을 필요로 한다.

또, 환자에 따라서 감수성에 큰 격차가 있어, 약에 반응하는 증례(responder)와 반응하지 않는 증례(non-responder)가 있다. 또한 장기간의 사용으로 갑작스럽게 효과가 감소(이탈〈escape〉현상)하는 경우가 있다. 높은 효과를 나타내, 현재 RA치료의 중심이 되고 있는 약제이지만, 드물게 심각한 부작용을 일으키는 경우가 있다. 통증을 억제하는 효과가 없기 때문에 일반적으로 NSAIDs와 병용한다. 최근에는 조기에 사용해, 3~4개월 후에도 효과가 나타나지 않으면, 다른 DMARDs로 변경함으로써 치료효과를 얻을 수 있다는 증거(evidence)가 보고되고 있다.

DMARDs의 하나인 Methotrexate(MTX)는 오늘날 세계적으로 RA치료의 핵심이 되고 있는 약제이다. 서양에서는 제1선택약으로서 발병 조기부터 적극적으로 사용하고 있다. 1주에 한 번, 6~8mg을 1~2일 동안 2~3회에 나누어 복용한다(매일 복용하는 것이 아니다). 종종 간질폐렴, 간장애 등의 부작용이 심각해지므로 주의한다. 간장애를 경감, 예방하려면 엽산을 투여하며, 신장의 배설성 때문에 신장기능이 저하된 경우에는 사용을 금한다. MTX는 엽산대사 길항제로 효과를 발휘하는데, 구체적으로는 활성산소, 사이토카인의 생산억제, 세포면역 억제 및 활막 콜라게나제의 발현억제 등의 작용이 나타난다.

DMARDs 효과의 발현

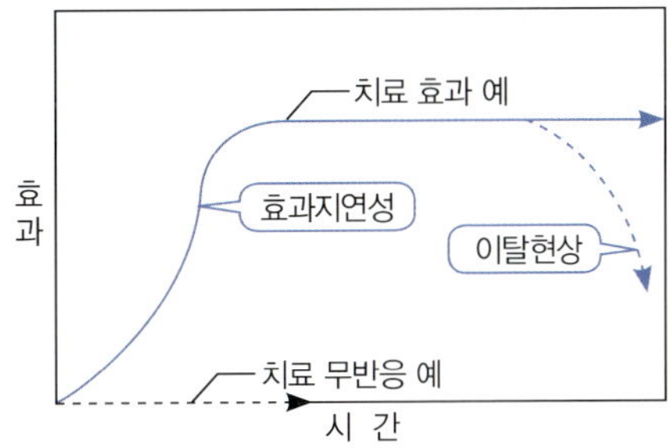

3. 항류마티스 생물학적 제제

류마티스관절염(RA)의 염증에 깊게 관여하고 있는 사이토카인을 선택적으로 저해하는 제제이다.

현재 우리나라에서 사용이 허가된 것은 Infliximab(mouse · 사람유래 키메라 항TNF-α 단일클론항체), Adalimumab(사람 항TNF-α 단일 클론항체), Etanercept(사람 가용성 TNF-α 수용체) 및 Tocilizumab(사람 항IL-6 수용체 단일 클론항체), Golimumab(TNF-α 억제제)이다.

MTX와 비교해도 높은 효과성(특히 뼈파괴 억제효과)이 인정되고 있지만, RA를 완치시키는 약은 아니다. 또한 심각한 부작용을 초래하는 경우가 있지만 그중에서도 감염증(특히 결핵 · 폐렴)은 발병 초기에는 알아차리기가 어려워 중증화되기도 하며 패혈증을 일으키기도 한다. 또 약값이 매우 비싼 점, 발암성 등 장기 안전성에 대해 불분명한 점도 있으므로, 적응에 관해서는 전문의의 판단에 따라야 한다.

Infliximab은 mouse 유래의 단백질을 함유하고 있기 때문에, 과민성 쇼크 및 중화항체 생산 가능성이 있어 MTX와의 병용이 필수이다.

(4) 생리학적 제제

① 항TNF-α항체

항TNF-α항체인 인플릭시맵(infliximab)은 이 질환에도 적응된다. 이 제제는 TNF-α를 발현하는 단핵구 · 대식세포에 결합하고 보체를 통해 이를 손상시킨다. 보통의 뼈조직은 파골세포/뼈파괴세포가 있는 곳에 반드시 뼈모세포가 존재하는데 이 질환의 뼈병변부에는 파골세포만 맹렬하게 활성화된다.

TNF-α는 이와 같이 파골세포의 활성화를 촉진하는 사이토카인으로 간주되는데 실제로 이 제제는 상당히 우수한 뼈파괴 억제작용을 가지고 있다.

단 infliximab은 구조의 1/4을 쥐(mouse) 성분, 나머지 3/4을 사람 성분이 차지하는 키메라(chimera) 단백인데 반복 투여함으로써 이 제제에 대한 중화항체가 생산되어 그 효과가 약화된다. 따라서 이 제제의 반복 투여 시에는 반드시 MTX를 병용해야 한다.

항TNF-α항체의 효과는 MTX와 동등하거나 또는 그 이상으로 추측되지만 부작용도 충분히 파악되지 않았기 때문에 주로 MTX의 효과가 좋지 않다고 생각되는 경우에 사용되고 있다.

② 토실리주맙(tocilizumab)

이 제제는 일본에서 개발된 항IL-6 수용체 항체이다. IL-6는 B세포를 활성화시키고 RF의 생산과 고γ-globulin혈증을 일으킬 뿐만 아니라 자가면역에 관한 T세포를 활성화시키고 접착분자의 발현을 유도함으로써 염증성 세포의 침윤을 돕는 작용을 한다.

이 제제는 뼈파괴 억제작용이 우수하다.

2) 운동 · 안정요법

운동과 안정의 적절한 배합이 매우 어렵다. 운동을 지나치게 많이 하면, 염증을 오히려 악화시켜 아파서 움직일 수 없게 되고, 반대로 계속 안정만 하고 있으면 근력이 저하되어 관절 내의 신진대사가 정지되어 관절이 움직이지 않게 된다. 따라서 적당한 운동과 안정이 필요하다. 그 기준은 「다음 날까지 통증이 남지 않을 정도의 운동」이 된다.

3) 수술요법

RA는 윤활막에 주요 병변이 있기 때문에 윤활막절제술을 시행하는 경우가 있다. 악화된 관절에 대해서는 관절고정술, 인공관절 치환술을 시행하는 경우가 있다.

① 활막절제술

활막절제술에는 직시하 수술법과 내시경하 수술법이 있다. 약물요법이 어느 정도 성공했지만, 염증의 조절이 불충분하고 일상생활 속의 동작에 곤란을 느끼는 증례에 적응된다. 약물요법이 진보함에 따라 시술 빈도는 격감했다.

② 관절형성술

관절 파괴가 진행해 가동역 제한이 발생한 경우나, 심한 통증이 남아 있는 경우, 시술로 그 기능이 개선될 전망이 있는 증례에 적응된다. 인공관절 치환술이 대표적이다.

③ 관절고정술

손목 관절이나 발목관절 등에 행해지는 수술이다. 관절 파괴의 진행에 따라 심한 통증이 있고, 관절을 고정함으로써 일상동작을 하기 쉬워질 수 있는 증례에 적응된다.

플러스 코너

4. 재활요법 Rehabilitation

환자의 삶의 질을 조금이라도 더 높이기 위해 실시된다. 증상의 개선에서 근력 유지까지 목적에 따라 다양한 방법이 있다.

① 물리요법(이학요법)

- 온열요법 : 소염, 진통
- 물치료법, 온천요법, 한랭요법, 전자기 · 광선요법 : 혈류개선

② 운동요법

- 관절가동역 훈련, 등척(等尺)훈련, 자동운동, 타동운동 : 관절가동역이나 근력의 유지, 개선

③ 작업요법

- ADL(Activities of Daily Life) 훈련 : ADL 기본동작 개선
- 기능적 작업훈련 : 삶의 질 향상
- 취미적 작업요법 : 가정 · 직장 복귀

④ 보장구요법

- 지지성 보장구 : 고정, 지지성 보조
- 보장구 : ADL의 도움
- 교정 장구 : 변형 예방, 교정

류마티스 관절염 핵심정리

병태생리로 보는 류마티스 관절염

류마티스 관절염이란 만성으로 경과하는 원인불명의 만성, 진행성, 전신성 자가면역질환이다. 인구의 0.3~0.8%에서 발병하고 여성에게 많이 나타난다. 결합조직 질환 중에서 가장 많이 나타난다.

병 인	• 원인은 명확하지 않으나 유전적 소인이나 바이러스, 면역학적 이상 등이 거론되고 있다. – 유전인자 : HLA–DR 다형 – 환경인자 : 바이러스 감염
병 태	• 염증으로 인한 국소 발열을 동반하는 관절 종창과 압통 발생 • 윤활막의 섬유모세포(B형 윤활막세포) 증식 • 사이토카인이 직접 연골세포, 골모세포, 파골세포에 작용하여 뼈와 연골이 파괴됨 • 관절의 변형이 나타남
증 상	**관절 증상** • 1시간 이상 지속되는 조조강직 • 자발통, 운동통 • 압통, 종창 • 손목, 발 관절 변형(단춧구멍 변형, 백조목 변형 등) • 대칭적 증상 **관절 외 증상** • 피하결절 • 간질폐렴, 폐섬유증, Caplan 증후군 • 쇼그렌 증후군, 건조성 각막결막염 • 수근관/손목굴 증후군, 다발성단일신경염/다발홑신경염 • 빈혈

진 단 및 검 사	**진단** • 방사선 검사, X-선 검사 **검사소견** • 백혈구수 정상, 혈소판 증가 • ESR 및 CRP 증가 • 혈청보체가 상승 • 류마티스인자 검사 양성 • 관절액의 점성도 저하, 혼탁, 세포 수 증가, 당 감소, 단백질 증가

치 료	**약물요법** • 비스테로이드성 항염증제 • 항류마티스제 • 부신피질스테로이드 • 아스피린 • 진통제 • 항말라리아제 **운동·안정요법** • 수동적 ROM • 등척성 운동 • 관절 휴식 및 보호 • 급성기에는 절대 안정 **수술요법** • 활막절제술 • 관절형성술 • 관절고정술 • 인공관절 대치술 **물리치료** • 열·냉 요법 • 마사지 • 파라핀욕

2 악성 류마티스관절염 Malignant rheumatoid arthritis : MRA

류마티스관절염에 혈관염(vasculitis)을 수반한 RA를 악성 류마티스관절염이라고 한다. 침범당하는 혈관은 동맥, 소동맥, 모세혈관, 정맥 등 여러 곳이다. 이 혈관염을 류마티스혈관염(rheumatoid vasculitis)이라고 하는데, 전신의 장기를 침범하는 전신형과 사지의 말초 부분 · 피부를 중심으로 침범하는 말초형이 있다.

1. 임상증상

악성 류마티스관절염에는 RA 증상(관절외 증상, 관절증상)과 혈관염 증상이 나타난다. 관절외 증상에서는 발열, 체중감소, 피하결절, 간질폐렴 등이 흔히 나타난다. 관절 증상에서는 관절변형, 관절염이 나타난다. 혈관염은 주로 중 · 소동맥으로부터 세동맥에 걸쳐서 일어나, 온몸의 장기에 다양한 증상을 초래한다. 피부궤양, 상공막염, 다발성 단신경염, 흉막염, 자색반 등이 높은 빈도로 나타난다.

TIP

MRA = RA(관절증상, 관절외 증상)
\+
혈관염(vasculitis)

1) 관절염

일반적인 RA관절염보다 중증인 경우를 많이 볼 수 있다.

2) 말초신경장애

다발성 단신경염이 나타난다.

3) 눈증상

상공막염이 예후를 결정한다.

4) 피부증상

여러 가지 소견이 있다. 혈관염, 혈행장애를 나타내는 손가락 · 발가락괴저, 피부궤양, 자색반, 그물울혈반(livedo, **그림 2-45, p.128**) 외에 류마티스결절(rheumatoid nodule)이 있다.

이 결절은 보통, 아래팔을 펴는 부분이나 무릎에 호발하는 피하결절로서 혈관벽과 내강의 섬유소성 괴사나 육아종으로 이루어진다.

5) 기타

심외막염, 흉막염 등이 일어난다.

2. 검사소견

일반적으로 RA와 함께 다음과 같은 소견이 나타난다.

- RF의 높은 수치
  이 질환의 90% 이상에서 RF가 비정상적인 높은 수치로 나타난다.
- 항핵항체 양성
- 혈청보체가의 저하

TIP

보체가

- RA → 혈청보체값 상승, 관절액보체값 저하
- MRA → 혈청보체값 저하, 관절액보체값 저하

3. 결절다발동맥염 Polyarteritis nodosa 과의 비교

① 고혈압증이 없다.
② 신장증상이 없다.

4. 치료 및 간호

MRA에 대한 치료는 우선 지금까지의 항류마티스요법(DMARDs · NSAIDs · 저용량의 경구 스테로이드)을 계속하는 것이 중요하다. 원칙적으로 완화될 때까지는 입원 치료해야 한다.

중등량 이상의 스테로이드(프레드니솔론)를 이용한 강력한 약물요법을 중심으로 실시하며, 경우에 따라 시클로포스파마이드 등의 강한 면역억제제, 항응고제 등을 병용하기도 한다. 중증인 경우에는 스테로이드펄스요법도 실시한다. 약물요법으로 충분한 효과를 얻지 못하는 경우, 혈장교환요법이나 백혈구제거요법(LCAP 요법) 등의 혈액정화요법이 적응되기도 한다.

플 러 스 코너

5. MRA의 진단기준

임상증상 (RA 및 혈관염 이외의 원인에 의한 것은 포함하지 않음)	① 다발성 단신경염 ② 피부궤양 또는 경색 또는 손발가락 괴저 ③ 피하결절 ④ 상공막염(episcleritis)또는 홍채염 ⑤ 삼출성 흉막염 또는 심낭염 ⑥ 심근염 ⑦ 간질폐렴 또는 폐섬유증 ⑧ 장기 경색 ⑨ 높은 수치의 류마티스인자(2,560배 이상) ⑩ 혈청 저보체가 또는 혈중 면역복합체 양성
조직소견	피부, 근육, 신경, 그 외 장기의 생검에 의해 소동맥 또는 중동맥 괴사성 혈관염, 육아종성 혈관염 또는 폐쇄성 내막염이 나타나는 증례
판정기준	류마티스관절염의 진단기준을 충족시키고, 위에 열거한 항목 중에서, '임상증상' 중에서 3가지 이상을 충족시키거나, '임상증상' 중 1가지 이상과 '조직소견'이 있는 경우에 악성 류마티스관절염(MRA)으로 진단한다.

3 Felty 증후군

RA에 비장비대를 동반한 질환이다. 비장의 기능항진에 의한 범혈구 감소가 특징이다. 특히 백혈구 감소가 특징적이다. 이 경우, 감염성 증가에 의한 감염증 반복 외에도 빈혈이 나타난다. RA 증상은 일반적으로 중증도로 관절파괴를 동반하는 경우가 많으며 또 혈관염을 합병하는 경우도 적지 않다.

TIP

- Felty 증후군 = RA + 비장비대
- 비장의 기능항진에 의한 혈구감소
- Felty 증후군은 Coombs 검사 음성(–)

Felty 증후군에서는 범혈구 감소가 발생하기 때문에, 때때로 SLE와의 감별에 애를 먹는 경우가 있다. SLE에서는 자가면역에 의해 혈구감소가 발생하는 한편 Felty 증후군에서는 비장의 기능항진에 의해 혈구감소가 발생한다. 적혈구에 주목해 보면, **SLE에서는 자가면역 용혈빈혈(AIHA)**이 나타나고, **Felty 증후군에서는 비장의 기능항진에 의해 용혈빈혈**이 나타난다.

전신권태감, 관절통, 발열, 혈구감소 등의 증상은 양쪽 질환에서 공통적으로 보이지만, 이때, Coombs 검사를 실시하면 적어도 SLE인지 Felty 증후군인지 감별할 수 있다**(그림 2-11)**.

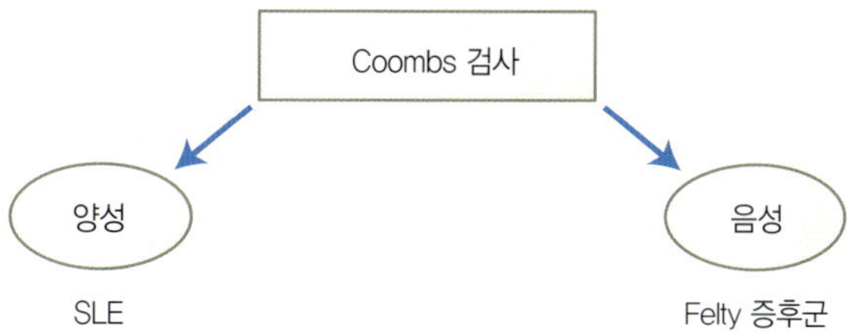

[그림 2-11] Coombs 검사와 Felty 증후군, SLE

1. 증상

① 반복되는 감염증
② RA증상 : 중증의 관절 파괴
③ 비장비대
④ 백혈구 감소 : 특히 호중구의 감소
⑤ 혈관염 증상 : 다발성 단신경염, 피부 궤양 등

2. 검사소견

RF 양성율이 높고, 또 수치가 높은 경우가 많다. 그 외 여러 가지 항핵항체나 항과립구 항체가 생산되지만, 그 생산 기전은 명확하지 않다.

SLE와 매우 비슷한 병태를 나타내 감별이 필요한 경우도 있는데, 이때에는 용혈 소견이 참고가 되기도 한다.

보통, 용혈의 경우에는 혈청 합토글로빈(haptoglobin) 수치가 낮지만, 비장 기능의 항진으로 인한 빈혈을 초래하는 이 질환에서는 합토글로빈은 저하되지 않는다. 또 SLE에서의 자가면역성 용혈빈혈에서는 직접 Coombs 시험이 양성되는 경우가 많다.

3. 치료 및 간호

RA의 기본 치료인 항류마티스요법을 실시하는데, 골수억제의 부작용이 있는 약제의 사용에는 주의가 필요하다. 스테로이드가 효과를 나타내는 증례도 있지만, 지나치게 많은 양을 투여하면 감염증의 위험이 높아진다.

백혈구감소에 대해서는 G-CSF의 투여가 효과적인 경우가 있다. 약물에 의한 치료로 효과가 나타나지 않는 증례에 대해서는 비장적출술을 실시한다(침습성이 높기 때문에 감소하는 추세이다).

백혈구감소가 나타나는 주요 결합조직질환(유사질환)에는 Felty 증후군 외에 SLE, Sjögren 증후군 등이 있다.

4 소아 류마티스관절염 Juvenile rheumatoid arthritis : JRA

1. JRA의 개념

결합조직 질환이라고 하면 젊은 여성의 병, 고령자 병이라는 이미지가 있다. 그러나 소아(16세 이하)도 결합조직 질환에 걸린다. 물론 빈도는 적다. 소아의 결합조직 질환 중에서도 가장 많은 것이 JRA이다.

전신형(스틸씨병)과 관절형으로 크게 구분되며, 관절형은 다관절형과 소관절형으로 분류된다.

2. JRA의 3가지 유형

침범당한 관절의 개수, 전신증상의 유무로 다음과 같이 3가지로 분류된다. 전신형을 제외하면 대체로 생명예후는 나쁘지 않다.

1) 전신형 Systemic type, Still's disease

20%의 빈도로 나타나며 관절증 외에 간헐열, 발진, 내장 병변도 발생한다. 남녀 발병 비율은 거의 1 : 1로 소아의 전 연령에서 호발한다.

① 증상

관절 증상은 많은 관절에서 염증이 발생하지만, 발병 초기에는 경도인 경우가 많다.

관절외 증상으로는 이장열, 간헐열, 주황색 피부발진, 전신 림프절 종창, 간비대, 장막염(심외막염, 흉막염 등), 혈구탐식증후군(또는 대식세포 활성화 증후군) 등이 나타난다.

② 검사

혈청 RF : 음성

기타 검사 : 높은 수치의 혈청페리틴

③ 약물요법

NSAIDs(나프록센, 이부프로펜)을 기본으로 하며, 전신증상이 심각한 예(특히 심막염 합병 예)에서는 스테로이드를 이용한다. 최근에는 난치 사례에 항IL-6수용체 항체의 Tocilizumab이 효과적이다.

④ **예후**

대체로 양호하지만 혈구탐식증후군(또는 대식세포활성화 증후군)을 발병하면 파종성 혈관 내응고(DIC), 다장기부전을 초래해 생명예후가 나쁘다.

2) 다관절형 Polyarticular type

50%의 빈도로 나타난다. 전신형은 아니며 관절이 5개 이상 침범당한다.
여아의 발병률이 높으며 소아의 전 연령에서 호발한다.

① **증상**

관절 증상으로는 5곳 이상의 관절이 침범당하는 다발관절염(좌우대칭성), 아침의 경직 등 임상증상이 성인 RA 병태와 유사하다. RF 양성형과 RF 음성형으로 분류된다.

관절외 증상으로는 지속되는 미열, 림프절 종창, 식욕부진, 체중감소, 소악증/작은턱증, 뼈 발육장애, 피하결절(RF 양성형) 등이 나타난다.

② **검사**

혈청 RF는 RF 양성형에서는 양성, 음성형에서는 음성으로 나타난다. 그 외에 일부 증례에서 항핵항체가 양성이다.

③ **약물요법**

NSAIDs를 이용해 진단 확정 후에 Methotrexate 소량 펄스요법을 실시하며, 관절염 중증예에서는 스테로이드를 병용한다.

④ **예후**

RF 양성형의 경우 관절 예후가 좋지 않아, 기능장애를 남기는 경우가 많다.

3) 소수 관절형 Pauciarticular type

30%의 빈도로 나타난다. 전신형은 아니며 침범되는 관절은 4개 이하이다. 남아보다 여아에게 많으며 특히 1~5세 여아에게서 호발한다.

① **증상**

관절 증상에서는 1~4곳의 관절에 염증이 나타나는데, 무릎, 다리 등의 대관절이 중점적으로 침범되며, 일부는 다관절형으로 이행한다(진행형).

관절 외 증상에서는 홍채염이 발생한다.

② **검사**

혈청 RF는 음성이다. 그러나 진행형의 일부에서는 양성으로 나타난다. 증례의 반수에서 항핵항체가 양성이다.

③ 약물요법

NSAIDs로 경과를 관찰해, 반응이 나타나지 않는 예에는 methotrexate 소량 펄스요법을 실시하고, 홍채염에는 스테로이드 점안요법을 실시한다.

④ 예후

예후는 비교적 양호하나 홍채염이 진행되면 시력장애가 남는다.

3. 스틸씨병 Still's disease

JRA의 전신형을 스틸씨병이라고 한다. 특징인 발열(간헐열), 발진, 내장병변에 대해서 살펴보자.

1) 발열

원인불명의 발열이 나타났을 때 결합조직 질환을 염두에 두고 감별진단에 들어간다. 단지 발열만으로는 스틸씨병을 강하게 의심할 수는 없다. 그러나 스틸씨병에서 보이는 발열에는 큰 특징이 있다. 그것은 이장열(spiking fever)이라고 하는 형태의 열이다(그림 2-12).

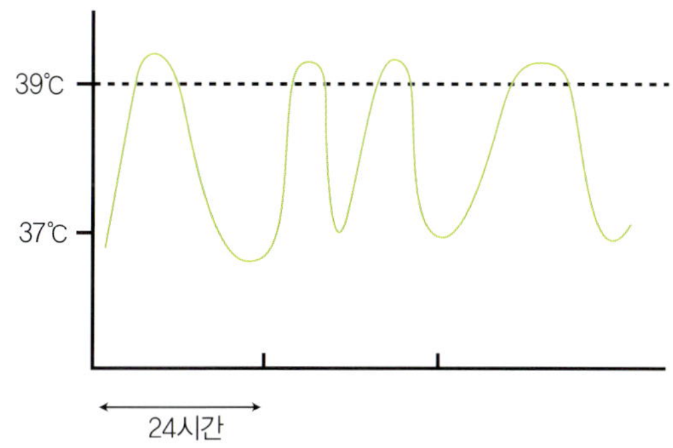

[그림 2-12] 이장열(spiking fever)

39℃ 이상으로 열이 올랐다가 하루 사이에 해열제를 먹지 않고도 열이 내리는데, 이것이 며칠이나 반복된다. 이러한 발열은 관절증상이 발생하기 전에 나타나는 경우가 많다.

2) 발진

쌀알 크기 또는 그보다 조금 큰 salmon pink색 발진이 몸통을 중심으로 나타난다. 이것을 류마티스성 발진이라고도 하는데, 이 특이적인 발진은 진단가치가 있다. 이 발진은 쾨브너(Köebner) 현상 양성이다.

Köebner 현상은 피부과에서 많이 볼 수 있는 것인데, 정상적인 피부에 자극을 가할 때 같은 모양의 발진이 생기는 것을 Köebner 현상 양성이라고 한다.

Köebner 현상 양성 질환

건선, 편평태선, 청년성 편평사마귀, 자가감작성 피부염 등

3) 내장병변

간비장 비대, 림프절 종대 등을 초래한다. 발열, 발진만큼 중요하지는 않다.

TIP

〈JRA〉

- RF 음성인 경우가 많다

〈Still's disease〉(전신형 JRA)

- 이장열(spiking fever)
- Salmon pink색의 발진
- 혈청페리티틴의 높은 수치

4. 검사소견

스틸씨병(Still's disease)에서는 혈청 페리틴이 비정상적으로 높은 수치를 나타낸다. 보통, 만성 감염증이나 RA 등에서도 혈청 페리틴이 높은 수치를 보인다. 기준치는 대개 남성에서 200ng/mL 이하, 여성에서 100ng/mL 이하이다. 스틸씨병에서는 1,000 이상, 때로는 10,000 이상이 되는 경우도 있지만 일반적으로 기준치의 2~3배 정도 상승한다.

또, 스틸씨병에서는 류마티스인자가 음성이라는 것도 중요하다. RA에서는 80%가 류마티스인자 양성인 것에 비해, 스틸씨병에서는 음성, 다관절형에서는 20%가 양성, 소수관절형에서는 대부분이 음성이다.

5. 치료 및 간호

NSAIDs, methotrexate, 스테로이드를 이용해서 치료한다.

① NSAIDs는 이부프로펜, 나프록센 등을 선택한다.

② 다관절형 JRA, NSAIDs 불응 소관절형 JRA에는 methotrexate 소량 펄스요법을 실시한다.

③ 스테로이드의 과잉 투여는 뼈의 성장장애나 부신기능 저하를 초래하여 소아의 성장에 영향을 미치므로 최소한의 양을 사용한다.

6. JRA의 요점 (표 2-4)

우선, 류마티스인자의 양성률이 낮다는 것이 중요하다. 소수관절형에서는 홍채염(iritis)을 동반한다는 것에 주의하자.

	스틸씨병	다관절형	소수관절형
빈도	20%	50%	30%
증상	spiking fever, 발진	morning stiffness	드물게 홍채염(iritis)
류마티스인자	(-)	20%가 양성	대부분은 (-)

[표 2-4] JRA의 비교

5 성인 스틸씨병 Adult onset Still's disease : AOSD

스틸씨병은 16세 이하에서 나타나는 소아 질환이지만, 30~40대에 스틸씨병과 매우 유사한 질환이 나타나는데 이것을 성인 스틸씨병이라고 한다. 반수 이상이 재발을 반복하는 만성 질환이다.

1. 역학

세계적으로 발병률에 남녀 차이는 없으나 동양에서는 여성에서 약간 더 많다. 35세 이하의 젊은층에서 많이 발생하며, 17~35세까지가 전체의 약 70%를 차지한다.

원인은 불명확하지만, 바이러스(EB virus, cytomegalovirus 등)의 관여가 시사되고 있다.

2. 임상증상

1) 발열

거의 100%에서 나타난다. 대부분 초기증상으로 나타난다. 저녁 때부터 밤에 걸쳐서 39℃ 이상의 발열이 있으며, 아침이 되면 열이 내려가는 이장열(spiking fever)이 나타난다. 39℃라는 고열을 보여도 위험하다는 느낌이 없고 대부분의 경우, 기타 생체 징후(vital signs)에는 문제가 없다.

2) 관절통

발열이 거의 100% 일어나지만, 초기증상으로서의 빈도는 높지 않다.

손 · 팔꿈치 · 무릎 · 발 등의 큰 관절이 침범된다. 관절통만 나타나는 경우와 열감이나 종창이 나타나는 경우가 있다. 관절이 파괴되는 일은 없지만, 이 관절염이 장기간 지속되면 드물게 관절유착 등이 발생하는 경우가 있다.

3) 발진

90% 이상에서 나타난다. 전형적인 발진은 류마티스성 발진이라고 하여, 진단 가치가 높다. 비전형적이며 비특이적인 발진도 종종 나타난다.

수 mm 정도의 담홍색 홍반이 몸통과 사지에 많이 발생하며, 일부에서는 융합한다. 발열과 동시에 나타나 해열과 함께 사라지기 때문에, 다른 바이러스성 발진증과의 감별이 가능하다.

4) 기타

감염이 의심되는 인두통이나, 표재림프절의 종창, 흉막염이나 심장막염이 나타나는 경우가 있다.

3. 치료 및 간호

치료의 제1선택약은 비스테로이드성 항염증제(NSAIDs)이다. 흔히 아스피린이 사용되고 있지만, 부작용이 나타날 확률이 높아 최근에는 다른 NSAIDs가 사용되고 있다.

간기능과 응고능에 주의하며 증상에 맞추어 양을 증감시키는데, NSAIDs만으로 조절되는 것은 10～20% 정도이다.

부신피질스테로이드제는 전신증상이 위중하거나 염증소견이 강할 때 사용된다. 주로 중등량 정도가 사용되며 효과는 신속하게 나타난다. 감량 속도는 검사치가 정상화되고 나서 서서히 실시한다.

난치 사례에서는 스테로이드펄스요법(steroid pulse)이나, 면역억제제, γ－글로불린 대량요법 등도 사용한다.

감별 질환

- 강직성 척추염
- Reiter 증후군
- 변형관절염
- 건선관절염
- RF
- 통풍
- 가성 통풍

4. 예후

예후는 일반적으로 양호하지만, 일부 난치성 증례가 있어 관절에 장애를 남기거나 재발하는 사례가 많다. 중증의 예에서는 드물게 2차성 아밀로이드증이나 파종성 혈관내응고(DIC)를 초래해, 생명예후에 영향을 미치는 경우가 있다.

6 혈청 음성 척추관절염

1) 개념

아급성으로 발병해, 천장관절/엉치엉덩관절이나 척추, 사지의 대관절을 중심으로 침범되는 류마티스인자(rheumatoid factor, RF) 음성의 관절염이다. 환자는 HLA-B27의 양성률이 높기 때문에 HLA-B27관련 관절염이라고도 불린다.

혈청 류마티스인자(RF)가 음성이며, 척추관절염을 초래하는 질환에는 강직성 척추염, 반응성 관절염(Reiter증후군), 건선성 관절염, 염증성 장질환 관련 관절염 등이 있는데, 이것을 통틀어 혈청음성 척추관절염이라고 한다.

이러한 질환을 지닌 환자 대부분이 HLA-B27 양성이다. HLA-B27의 양성률은 질환에 따라 다른데, HLA-B27이 음성이라도 이들 질환을 부정할 수 없다.

2) HLA-B27

인간의 유핵세포에 발현하는 MHC 클래스 I에는 HLA-A, B, C의 3종류가 있으며, HLA-B27 양성이란 이 HLA-B의 27형이 발현하고 있다는 의미이다.

우리나라의 HLA-B27 양성률은 2% 정도이지만, 북미의 백인의 양성률은 약 7%로 인종에 따라 큰 차이가 있다.

HLA-B27 양성자의 혈청반응 음성 척추관절염의 발병률은 인종에 관계없이 약 20%이다. 따라서 인종 간의 유병자 비율을 비교하면, 우리나라의 유병자는 적은 편이다.

반대로 혈청반응 음성 척추관절염 환자도 HLA-B27 양성자에서 높은 비율을 차지하고 있어, 이러한 것으로 볼 때 HLA-B27은 이 질환과 높은 상관성이 있는 것으로 추정되고 있다.

1. 강직척추염 Ankylosing spondylitis : AS

1) HLA-B27 관련 류마티스 질환

AS에는 다음과 같은 4가지 특징이 있다.

① 척추(sacroiliac joint를 포함)가 침범당한다.

② HLA-B27의 양성률이 높다.

③ 류마티스인자가 음성이다.

④ 비대칭성 관절염이 나타난다.

이것을 충족시키는 Reiter 증후군 · 건선성 관절염과 함께 HLA-B27 관련 류마티스 질환이라고 한다. 이것은 RA에는 없었던 특징이다. 그 때문에 척추염을 동반한 관절염 또는 HLA-B27 관련 류마티스 질환이라 부르기도 한다.

위의 4가지의 특징은 꼭 기억하기 바란다.

2) 역학

AS는 20~30대의 젊은 남성에게 많이 발생하며 환자의 95% 이상이 HLA-B27을 가지고 있다. 이 질환의 가족력이 있는 경우 10~30%가 발병한다.

3) 검사소견

혈액검사에서 ESR(적혈구침강속도)↑, CRP(+), HLA-B27(+), 류마티스인자(-)가 나타난다.

① 천장관절 (sacroiliac joint)

AS에서는 모든 증례에서 천장관절/엉치엉덩관절이 침범당한다. X-선 사진에서 볼 수 있는 변화로는 엉치엉덩관절의 융합이다.

② 척추

척추인대의 골화, 추체의 사각화가 발생하여 대나무 척추(bamboo spine)라고 불리는 변화가 나타난다. 특히, 요추에서 나타난다(**그림 2-13**).

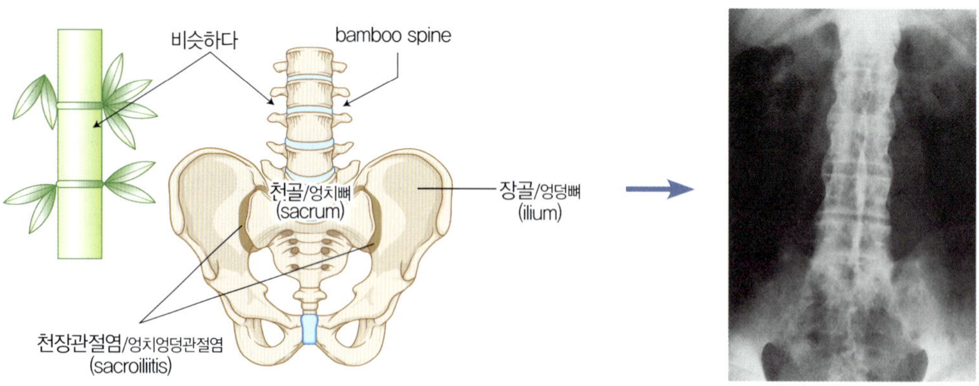

[그림 2-13] Bamboo spine

4) 임상증상

엉치엉덩관절, 척추가 손상당하는 만성 진행성 관절염으로 척추나 몸의 장축 가까운 관절에 만성 요배부통(천장관절염), 좌골신경통 비슷한 증상이 나타난다.

증상은 아침에 심하고, 운동을 함으로써 가벼워진다. 진행되면 척추골염이 상행해, 요추나 흉추 등도 침범되며, 방척추인대가 골화해 전굴, 측굴, 배굴 방향의 운동이 제한된다. 이렇게 되면 척추는 가벼운 충격만 받아도 골절이 일어나기 쉽다.

초기증상으로는 허리 뒤쪽의 강직, 불쾌감, 통증이 나타나는데 통증은 야간 · 새벽녘에 심하며 운동을 하면 경감된다. 진행되면 통증보다 운동제한이 현저해진다. 또 환자의 약 1/3에서 어깨 · 넓적다리, 무릎 등의 사지에 대관절염이 동반되며, 더욱 진행되면 대퇴/넓적다리, 슬관절/무릎관절의 굴곡 변위를 나타낸다.

5) 합병증

이 질환에서는 관절 외에도 여러 가지 증상이 합병증으로 나타나는데 대표적인 것으로 홍채섬모체염, 폐섬유증, 대동맥판역류(AR), 염증성 장질환, 힘줄부착부염 등이 있다**(그림 2-14)**.

힘줄부착부염은 아킬레스건 부착부, 종골/발꿈치뼈 등에서 조기부터 볼 수 있는 경우가 있다.

이 질환 환자의 약 25%에서는 홍채섬모체염이 나타나고 5~10%에서 Crohn병이나 궤양대장염 등의 염증성 장질환이 합병된다.

또, 증상이 나타나지 않지만 높은 비율로 회장/돌창자이나 대장에 염증이 생기기도 한다.

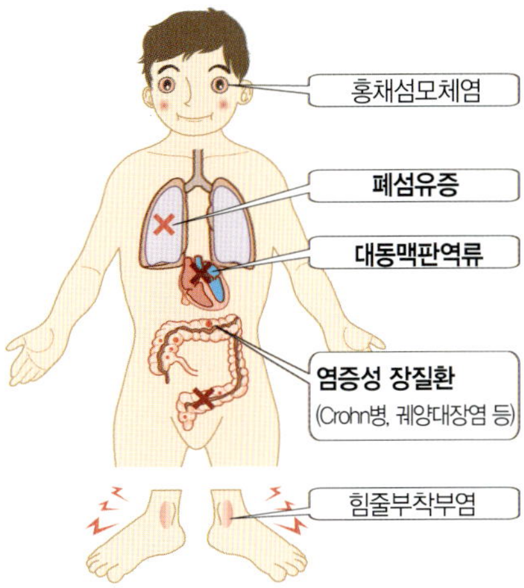

[그림 2-14] 강직척추염의 합병증

6) 치료 및 간호

치료법으로는 약물요법과 적당한 운동이 함께 요구된다.

허리의 염증이나 통증에 대해서는 NSAIDs를 중심으로 투여한다.

질환의 진행을 늦추기 위해서 항류마티스제 · 면역억제제를 사용하며, 살라조설파피리딘(SASP), 메토트렉세이트(methotrexate), 시클로스포린(cyclosporin) 등이 효과적이다.

체조, 수영 등 적당한 운동을 하는 것이 관절 변형의 진행 억제에 효과적이다.

스테로이드는 효과가 확인되지 않아 원칙적으로 사용하지 않지만, 합병증에 대한 국소투여를 하기도 한다.

외과적 요법은 보행장애가 심한 증례 등에서 고려되기도 한다.

최근, 항류마티스 생물학적 제제인 infliximab이나 etanercept의 유효성이 확인되어, 부작용 면에서 안전성이 확인되면 치료제로서 널리 사용될 가능성이 있다.

2. 반응성 관절염

1) 개념

비뇨기나 생식기, 장관 등에 관절외 감염으로 침입한 항원에 대한 면역반응으로 야기되는 관절염으로 비임균성 요도염, 세균성 장염 등 관절외 장기에서 발생한 감염증이 2~4주 후에 합병하는 급성 비화농성 관절염을 반응성 관절염이라고 한다. 반응성 관절염 중에서 요도염, 결막염, 관절염을 3징후로 하는 질환을 Reiter 증후군이라고 한다. 청년기 남성에게서 호발하며, HLA-B27 양성률이 약 80%이다.

2) 증상

① **안구증상**

대부분은 일과성이며 무증후성 결막염도 발생한다. 포도막염을 초래하기도 한다.

② **피부증상**

손바닥이나 발바닥의 건선모양의 각화

③ **관절염**

급성으로 발병하는 비대칭성 관절염으로, 호발부위는 무릎, 발목 등 다리가 중심이 된다. 손이나 손가락도 침범하는 경우가 있다.

④ **비임균성 요도염**

선행 감염에 의해 발생한다고 생각되고 있으며, *C. trachomatis*의 검출률이 높다. 무증상인 경우도 적지 않다.

3) 치료 및 간호

관절염 관련 치료에는 NSAIDs를 사용한다. 제1선택약은 인도메타신이다. 감염에 대해서는 원인 세균에 근거한 적절한 항균제를 사용하며, 그 외의 다른 증상에 대해서는 대증요법을 실시한다.

3. Reiter 증후군 Reiter's syndrome

1) 역학

남성에게 많이 나타나며 환자의 80~90%가 HLA-B27 양성이다.

원인은 불분명하지만, 세균 감염과 바이러스 감염이 원인이 되는 것으로 추정된다. 특히, 성병(비임균성 요도염 등)으로 발생하는 것이 이 질병의 핵심포인트이다.

2) 임상증상

다음과 같은 3가지 특징이 있다.

- 비임균성 요도염
- 결막염
- 관절염

관절염은 다리에서 많이 발생하는데, 25%는 천장관절염/엉치엉덩관절염(sacroiliitis)이 나타난다. 아킬레스건에 종창이 생기는 것도 특징이다.

Reiter 증후군에서 중요한 것은 「AS와 Reiter 증후군과 건선성 관절염의 공통점」에서 설명한 4가지의 공통 증상이 성행위 감염 후에 발생한다는 것이다.

4. 건선관절염 Psoriatic arthritis

1) 개념

건선에 관절염이 합병된 것으로 건선 환자의 수%에서 발병하며, HLA-B27 양성률은 약 40%이다.

발병률에 남녀 차이는 없고, 30~40대에 흔히 발병한다.

2) 증상

관절염의 증상은 몇 개의 형으로 분류된다. 주로 DIP 관절 등 손의 관절이 침범되는 소관절염형, 류마티스관절과 같은 대칭성 다발성 관절염형, 척추나 엉치엉덩관절(천장관절)이 침범되는 형태 등이 있다.

대부분은 건선이 선행하기 때문에 진단이 용이하지만, 관절염이 선행하는 증례에서는 진단하기가 어렵다.

3) 치료 및 간호

류마티스관절염의 치료에 준해 항류마티스제나 NSAIDs를 사용한다.

건선에 대해서는 시클로스포린을 투여하거나 PUVA요법을 실시한다.

7 변형관절염(퇴행성 골관절염)

Arthritis deformans / Osteoarthritis : OA

1. 개념

중장년기 이후에 대다수의 사람이 걸리는 흔한 질환이다. 발병률이 RA의 10배 이상이나 된다. 따라서 할아버지, 할머니가 무릎이 아프다든가 어깨가 결린다든가, 몸의 마디마디가 쑤신다고 하면 대부분은 이 퇴행성 골관절염인 것이다. 나이가 들면서 빈도가 증가한다.

결합조직 질환과는 무관한 질환으로 자가면역 기전과는 관계가 없다.

류마티스인자와 항핵항체는 음성이다.

2. 병태생리

관절에 대한 과도한 부하나, 연령이 높아지면서 동반되는 관절 강도의 저하에 의해서 관절연골의 변성, 파괴를 비롯해서 뼈나 활막 등에 병변을 일으킨다. 연골 변성에 의해 관절에 반응성 변화가 나타나고 골증식/뼈곁돌기의 형성, 관절의 경화 · 변형이 발생한다. 때때로 RA와의 감별이 어려운 경우가 있다.

고령자에게서 호발하며, 성차에 따른 발병 빈도에 차이는 없다.

- RA에서는 윤활막의 증식이 병태의 기본
- 변형관절염은 연골의 변성이 병태의 기본

3. 발생부위

무릎, 고관절/엉덩관절, 손가락, 팔꿈치에 많이 발생한다. 무릎이나 고관절에 생기는 변형관절염을 변형성 슬관절증, 변형성 고관절증이라고 한다.

손가락에 변형관절염이 있을 때에는 RA(류마티스관절염)와의 감별이 중요하다. 손가락에서 많이 발생하는 부위는 DIP(원위지간/먼쪽 손(발)가락뼈사이)와 PIP(근위지간/몸쪽 손(발)가락뼈사이)로서, 이 관절에 골증식/뼈곁돌기(osteophyte)

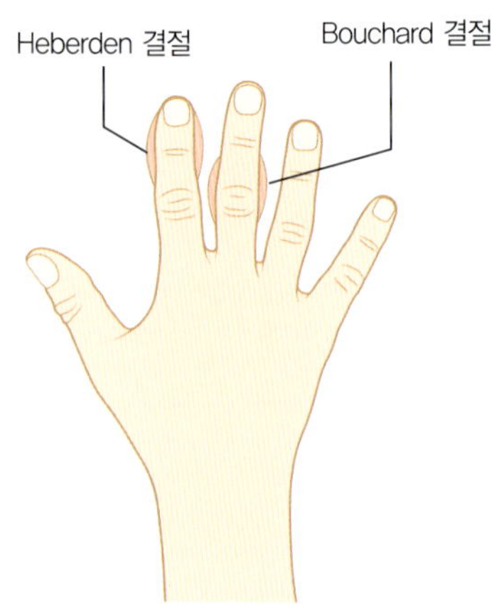

[그림 2-15] Heberden 결절 · Bouchard 결절

이 형성되어 결절을 만든다. 이 결절을 각각 Heberden 결절 혹은 Bouchard 결절이라고 한다(그림 2-15).

변형관절염에서는 DIP관절이 높은 빈도로 침범되지만, RA에서는 DIP 관절이 침범당하는 일이 거의 없기 때문에 Heberden 결절의 유무는 큰 감별점이 된다(그림 2-16). 또, RA에서는 우선 팔의 작은 관절부터 통증이 시작되는 경우가 많기 때문에 무릎만 아픈 경우는 변형관절염을 의심해야 한다.

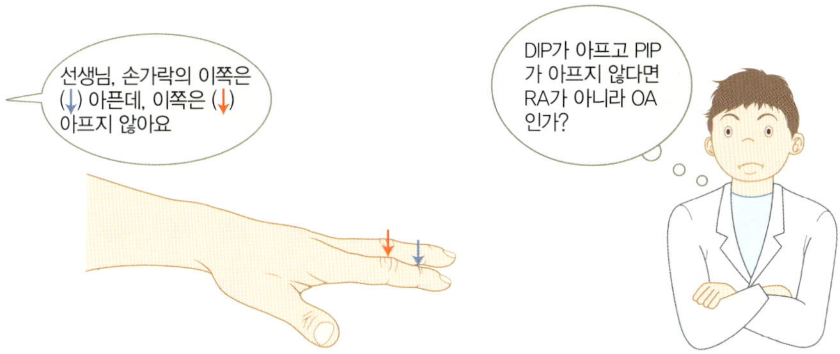

[그림 2-16] **류마티스관절염과 변형관절염의 감별**

4. 검사

X-선 소견에서는 연골의 병적 증식과 그 골화에 의해서 형성되는 골극/뼈돌기가 특징적이다. 관절액 소견은 정상에 가까워, 점조도가 저하하는 RA와의 감별에 유용하다.

8 류마티스열 Rheumatic fever : RF

1. 개념

류마티스열은 이전에는 결합조직 질환으로 취급되었다(고전적 결합조직 질환의 하나). 그러나 원인이 밝혀졌기 때문에, 현재에는 결합조직 질환이라고 부르지 않는다.

A군 β-용혈연쇄구균(*hemolytic streptococcus*) 감염 후에 류마티스열이 발생한다는 것이 밝혀졌다. 항생물질이 발달하지 못했던 옛날에는 류마티스열의 발생 빈도가 높았지만 현재는 격감하고 있다.

2. 역학

류마티스열은 아동기에 많이 발생한다. 그러나 항생물질의 발달, 위생상태의 개선에 의해 현재는 격감되었다.

3. 병태생리

연쇄구균 감염 의해 연쇄구균에 대한 항체가 생긴다. 이 항체가 연쇄구균만을 인식하여 결합하면 문제가 없다. 그러나 자기의 심근이나 판막 등과도 결합해 버리기 때문에 면역계가 자기세포에 대해 공격을 가하게 되는 것이다. 이것을 교차면역반응(cross reaction)이라고 하며(**그림 2-17**), II형 알레르기의 대표적 질환이다.

그러나 연쇄구균에 감염되었다고 해서 전부 류마티스열이 되는 것이 아니라 기껏해야 1% 정도만이 류마티스열이 된다.

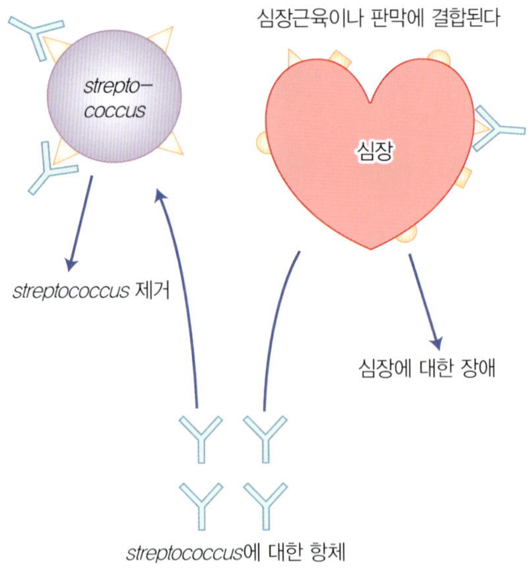

[그림 2-17] **교차면역반응**

4. 검사소견

1) 염증에 따른 소견

적혈구침강속도 항진, CRP 양성, 백혈구 증가, 가벼운 빈혈 등이 나타난다.

2) 연쇄구균 감염의 확인

① 인두 분비액의 배양

A군 연쇄구균을 직접 검색한다. 그러나 발견되는 경우는 적다.

② 항스트렙토리신 O(anti-streptolysin O : ASO)

스트렙토리신(streptolysin)이란 연쇄구균이 방출하는 독소이다. 연쇄구균 감염에 의해 streptolysin O에 대한 항체(= ASO)값이 상승한다. 그것을 ASO의 상승이라고 한다. 항스트렙토키나제(ASK ; antistreptokinase)라는 항체도 상승한다. Streptokinase는 연쇄구균이 방출하는 효소이다(그림 2-18).

연쇄구균 감염이라면 ASO가 상승한다는 대응이 중요하다.

ASO : streptolysin O에 대한 Ab
↓
용혈연쇄구균이 방출하는 독소

ASK : streptokinase에 대한 Ab
↓
용혈연쇄구균이 방출하는 효소

[그림 2-18] ASO와 ASK

5. 임상증상

우선, 발열과 함께 다음의 5대 증상이 나타난다.

① 심근염(myocarditis)
② 다발관절염(polyarthritis)
③ 소무도병(Sydenham's chorea)
④ 가장자리홍반(erythema marginatum)
⑤ 피하결절(subcutaneous nodule)

①의 심근염(심장 병변)은 평생 남는다. ②의 다발관절염은 가장 많이 나타나는 병변이지만, 변형이 남는 경우는 드물며 치료에 잘 반응한다. ③~⑤는 5대 증상이라고는 하지만, 10% 정도밖에 나타나지 않는다.

1) 심근염 Myocarditis

심근에 대한 교차면역반응에 의해 심근염이 발생한다. 심계항진(palpitation)이나 호흡곤란 등의 증상이 나타나는 경우도 있고 나타나지 않는 경우도 있다. 심장잡음이 새롭게 발생한다. **특히 중요한 것은 판막증이 남는 것이며 또한 승모판, 대동맥판이 손상되는 것이다. 구체적으로는 역류, 협착을 일으킨다.** 이 판막증은 수술 이외에 치료방법이 없다.

2) 다발관절염 Polyarthritis

무릎, 다리관절이 많이 발생하는 부위이다. 관절염은 5대 증상 중에서 가장 빈도가 높다. RA처럼 변형을 일으키는 것은 드물며 대부분 4~6주 이내에 치유된다.

3) 소무도병 Sydenham's chorea

성인에게서는 거의 발생하지 않는다. 소아에게서도 아주 드물며, 선행 감염 후 수개월 후에 나타나는 경우가 있다.

4) 가장자리홍반 Erythema marginatum

아프지도 가렵지도 않은 고리형의 홍반이다. 그러나 진단가치는 높다. 평소에는 눈에 띄지 않지만 목욕 후나 알코올로 닦은 후에는 두드러져 보이는 경우가 있다.

5) 피하결절 Subcutaneous nodule

관절이 늘어나는 쪽에 나타날 가능성이 있는 피하결절로 자각증상이 없으며 일과성이다. 심근염이 합병된 증례에서 많이 나타난다.

TIP

- RF에서는 심장에 장애를 남기지만 관절에는 남기지 않는다.
- RA에서는 관절에 장애를 남기지만 심장에는 남기지 않는다.

6. 요점

- A군 β용혈연쇄구균 감염 후에 발생한다(인두염의 선행감염).
- 발열, 심근염, 관절염
- 판막증의 원인

9 통풍 Gout

류마티스 질환에서 반드시 감별해야 할 것이 통풍이다. 많이 발생하는 부위와 치료약에 대해서 설명하겠다. 이것은 남성에게 많이 발생하는 질환이다.

1. 개념

통풍에 걸린 사람은 혈청 속의 요산(uric acid)수치가 높다. 요산의 기준치는 남성이 약 7.5mg/dL 이하이고 여성은 그것보다도 약 1mg/dL 낮다. 요산의 혈청포화도는 7mg/dL이기 때문에 이론적으로는, 혈청요산치가 상승하면 쉽게 요산염이 결정화된다. 혈청 속의 요산이 증가하면 그것이 관절액에 유출되어 결정화된다. 이 요산결정에 대해 염증반응이 일어나 관절통(arthralgia)이 발생하는 것이다.

통풍발작은 갑자기 발생하며 때때로 새벽에 격심한 통증을 수반한다.

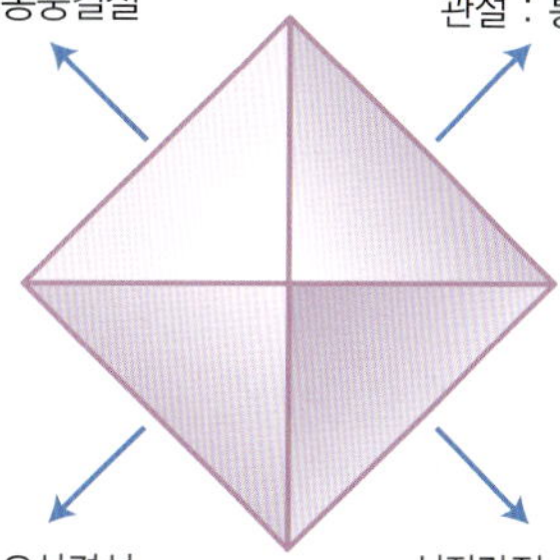

[그림 2-19] 요산결정의 침착

요산이 신장간질에서 결정화되면 **통풍신장**/통풍콩팥(gouty kidney)이 되고, 요로에서 결정화되면 요산결석(uric acid stones)이 된다. 또, 피하에서 결정화되면 **통풍결절**(tophi)이 된다**(그림 2-19)**.

2. 발생부위

격심한 통증을 동반하는 소위 "통풍발작"은 급성 비대칭적(단일 관절)으로 침범하며, 첫째 중족지/발허리발가락관절(1st MTP joint)에서 많이 발생한다. 요컨대 엄지발가락관절이다. 한편, 통풍결절은 귓바퀴에서 가장 많이 볼 수 있다.

3. 진단

부위에 관계없이 발작적 통증(episodic pain), 홍반(erythema)을 동반하는 전형적인 병력이 있다. 또한, 통풍 환자의 대부분이 혈중 요산 농도가 증가되어 있어 고요산혈증을 보인다. 혈액소견으로는 ESR 상승, WBC 상승 CRP 양성이며 이들은 발작 시에 상승한다. RF는 음성이며 혈청 요산의 기준은 남성 >7.0mg/dL, 여성 >6mg/dL이다. 관절천자로 확진하는데, 편광현미경으로 관찰하며 음성 복굴절(negative birefringent) 및 바늘 모양의 MSU(mono sodium urate : tophi)를 증명하게 된다.

또, X－선 소견상 골경화, 골위축, 펀치 구멍모양 용해 병변(경계가 뚜렷한 미란)을 보이는데, 이는 진행된 만성 결절통풍에서 특징적으로 나타난다.

4. 치료제

1) 발작에 대한 치료제

현재로서는 NSAIDs가 제1선택약이 되고 있다. 발작 시, 단시간에 대량으로 사용한다. 급성기를 지나도 한동안은 관절통이 계속되므로 NSAIDs를 계속해서 복용시킨다. 그러나 현재도 발작 초기에 colchicine을 사용하는 경우가 있다. 한번 발작이 일어나면 급성 염증이 진정될 때까지 서서히 요산치를 보정해 나간다.

2) 혈청 속의 요산치를 낮추기 위한 치료제

① Allopurinol

Xanthine oxidase의 억제제인 allopurinol은 요산의 생성을 억제한다(그림 2-20).

② Probenecid

요산의 재흡수에 의해 요산의 배설을 촉진한다. 신장에 부하가 걸리므로 신장기능이 나쁜 환자에게는 금기이다.

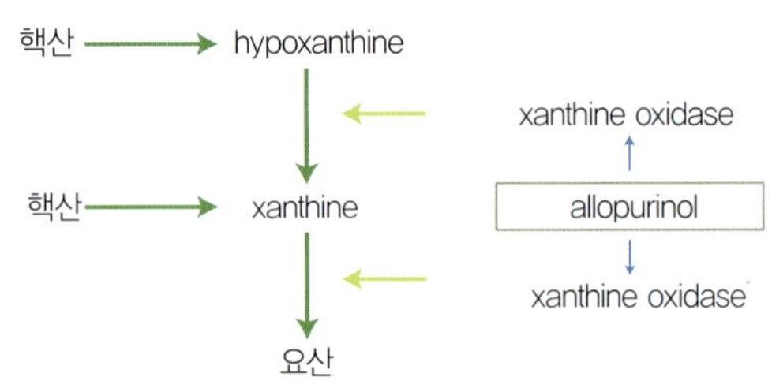

[그림 2-20] Allopurinol의 작용점

10 가성 통풍/거짓 통풍 Pseudogout

가성통풍은 통풍과 임상증상이 비슷하여 붙여진 이름이다. 노인에게 많이 발생하며, 골관절염과 관련되어 있다. 무릎에서 많이 발생하고, 방사선 소견상 연골석회화가 보인다.

1. 통풍과 가성 통풍의 차이

우선, 비슷한 점은 어떤 결정이 관절 내에 침착하여 관절염을 일으킨다는 점이다. 통풍에서는 요산염이 침착한다고 하였다. 가성 통풍에서는 calcium pyrophosphate dihydrate(CPPD)가 침착한다. 통풍과 가성 통풍을 결정유발성 관절염이라고 부르기도 한다.

TIP

관절통 arthralgia이 많이 발생하는 부위

- 류마티스관절염(RA) ······ 중수지관절/손허리손가락관절 (MCP joint)
- 퇴행성 골관절염(OA)의 Heberden 결절 ······ 원위지간 관절(DIP joint)
- 통풍 ······ 첫째 중족지관절(1st MTP joint)
- 가성 통풍 ······ 슬관절(knee joint)

B 전신홍반루푸스

1 전신홍반루푸스 Systemic lupus erythematosus : SLE

1. 개념

이 질환은 유전적 소인을 배경으로 호르몬 이상이나 바이러스 감염 등이 원인이 되어 항핵항체 등의 다양한 자가항체를 생산함으로써 발생하는 만성 염증성 질환이다. 결합조직질환 중에서도 현저하게 다양한 장기병변을 나타낸다.

병태의 중심이 되는 것은 자가항체의 직접 작용(II형 알레르기)과 자가항체에 의해 형성되는 면역복합체의 조직침착(III형 알레르기)이다. 그 밖에 자가반응성 T세포(IV형 알레르기)도 관여한다.

2. 역학

20~40세 정도의 젊은 여성에게 많이 발생하는 질환이다. 남녀비는 1 : 10으로 여성에게 압도적으로 많다. 20대에 많이 발병하며 발병기전이나 병태에 대해서는 많은 연구가 진행되고 있다. 유전소인, 환경소인, 면역이상, 성호르몬, 바이러스 등이 관여하는 것으로 추정된다.

유전소인에 관해서는 다발하는 가계가 있거나, 특정 HLA항원(HLA-DR2, DR15, DQW3 등)과의 관련성이 시사되고 있다. 또 일란성 쌍둥이가 이란성 쌍둥이에 비해 발병률이 높다는 것으로도 유전소인이 관여한다는 것을 알 수 있다.

환경인자로서는 신경내분비계에 영향을 미치는 스트레스나 감염성 병원체, 염증을 유발하는 식사, 항원을 변화시키거나 세포에 변성을 일으키는 자외선 · 약물 등의 외적 인자가 있다. 또

임신이 가능한 연령의 여성에게 많이 발생하는 점으로 보아 성호르몬(특히 에스트로겐)이 관여한다고도 생각할 수 있다. 말초혈액의 단핵구 아포토시스의 유도 저하, TNF－α생산저하, DNA 항체의 생산항진 등의 작용이 확인되고 있다.

젊은 여성에게 원인불명의 열이나 관절통, 피부발진 등의 증상이 나타나면 반드시 감별에 들어가야 하는 질환 중의 하나이다.

3. 임상증상 (그림 2-21)

SLE에서는 여러 장기에 걸쳐 매우 다양한 임상증상을 나타낸다.

1) 전신증상

피로감, 전신권태감, 발열, 체중감소 등의 증상이 선행하는 경우가 많다.

2) 관절 · 근육증상

초기증상으로는 약 반수, 전체 경과를 통해서는 약 90%의 증례에서 나타난다. 류마티스와 같은 뼈의 파괴나 변형, 방사선학적 뼈 미란(erosion)은 드물다. 그러나 종종 나타나는 것으로는, 대퇴골두/넙다리뼈머리 · 상완골두/위팔뼈머리 등에서 나타나는 무균성 골두괴사가 있다. 혈관염이나 스테로이드의 부작용, 혈행장애 등으로 인해 발생한다고 추정되고 있다.

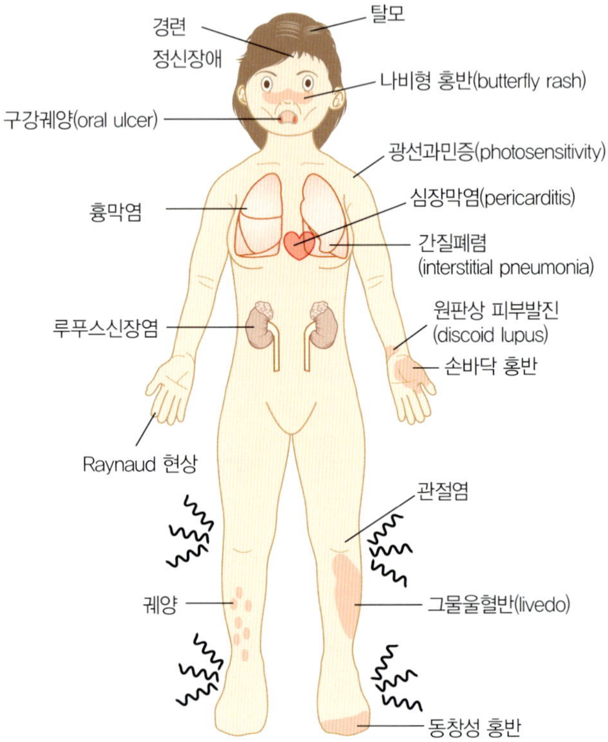

[그림 2-21] SLE에서 침범당하는 부위

3) 피부증상

다양한 피부증상이 있다. ①～④는 진단기준이 되는 발진이다.

① 나비형 홍반(Butterfly rash) (그림 2-22)

SLE 환자의 약 70～90%에서 나타나는 가장 빈도가 높은 발진이다. 콧등을 중심으로 양쪽 뺨에 대칭성으로 나타나는 부종성 홍반으로 나비 모양과 비슷하다. 진피 내의 혈관염, 표피의 장애와 모세혈관의 확장이 실제의 병태이다. 자각증상이 부족하고 가끔 "따끔따끔" 한 정도이다. 이 홍반은 코입술선 아래에는 생기지 않는 것이 특징이다.

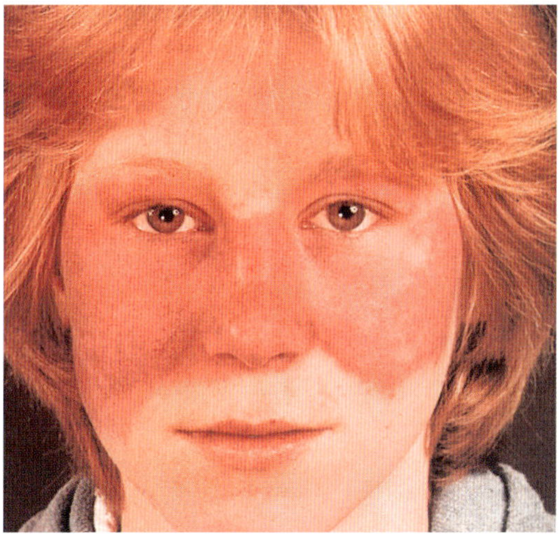

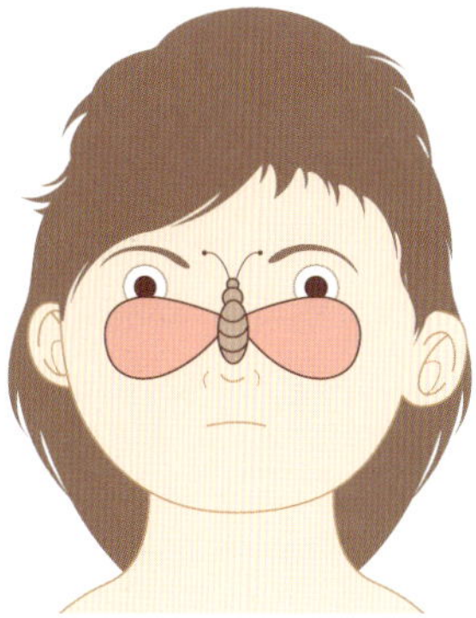

나비가 날개를 펴고 앉아 있는 것처럼 보인다

[그림 2-22] 나비형 홍반

② 원반모양 루푸스(Discoid lupus) (그림 2-23)

얼굴, 목부분, 팔, 다리 등에 생기는 발진으로, DLE 모양(discoid lupus erythematosus) 피부발진이라고도 한다. 약 30%에서 나타나며 원형~타원형의 경계가 명료한 홍반으로, 위축이나 각화를 동반한다. 실제의 병태는 혈관염(vasculitis)이며, 나중에 색소침착, 탈색소(depigmentation) 등을 남긴다.

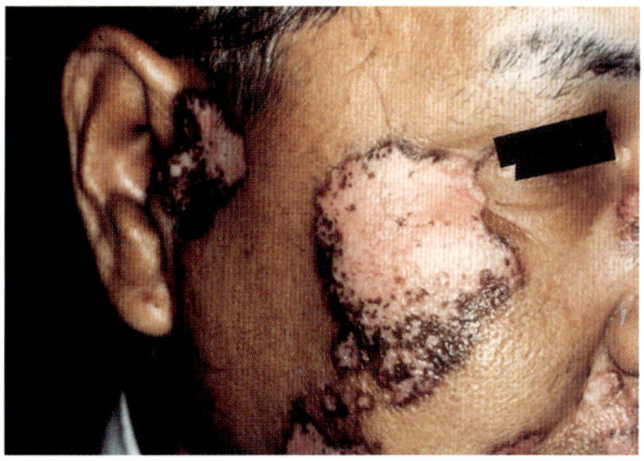

[그림 2-23] 원반모양 루푸스

③ 광선과민증(Photosensitivity)

태양광선, 특히 자외선으로부터 관절염 등의 임상증상이나 피부증상이 유발된다. 약 40~60%의 증례에서 광선과민증이 있다고 추정되고 있다. 문진만으로 광선과민이라고 판단할 수 있는 경우와 최소 홍반량(자외선)을 측정해서 판단하는 경우가 있다.

④ 구강내 궤양(Oral ulcer)

혈관염이 구강에서 생겨 궤양이 형성된다. 대부분은 경구개(단단한 입천장)에 생기는 부정형의 미란이나 궤양으로, 약 30%의 증례에서 나타난다.

⑤ Raynaud 현상

30~40%에서 나타난다. 한랭자극이나 스트레스에 의한 사지말단의 백색변화이다.

⑥ **그물울혈반(Livedo) (그림 2-45, p.128)**

약 반수의 증례에서 나타나는 그물코 모양의 발진이다. 사지에서 먼 곳에서 나타나는 그물코 모양의 홍반으로, 동맥과 정맥의 변화에 따라 2종류가 있다. 혈액순환장애를 나타낸다.

⑦ **탈모**

약 30% 정도에서 나타나는 미만성 · 국한성 탈모이다. 일반적으로 가역성이다.

⑧ **동창(pernio) 모양 홍반**

사지 말단이나 귓바퀴 등에서 나타나는 가벼운 동상 비슷한 홍반이다. 따뜻한 계절이 되어도 증상이 개선되지 않는 경우에는 이 질환을 의심해야 한다.

⑨ **기타**

혈전성 정맥염, 부종, 피부궤양, 손바닥 홍반, 손톱주위 홍반, 석회침착 등이 있다.

4) 신장증상

60% 이상의 증례에서 단백뇨가 나타난다. 항DNA 항체와 DNA에 의한 면역복합체에 의해 사구체신염/토리콩팥염이 발생한다. 세포성 반달형, 섬유소성 변성, 내막에 면역복합체의 침착이 나타나는 것을 루푸스신장염(lupus nephritis)이라고 한다.

진행되면 신증후군/콩팥증후군(nephrotic syndrome), 고혈압, 신부전/콩팥기능상실이 되어 SLE의 예후를 결정하는 인자가 된다. 혈청보체값이 활동지표가 된다.

5) 중추신경증상 CNS [central nervous system] lupus

약 20~30%에서 나타난다. 정신증상(우울증, 불안, 인식장애, 망상, 환상 등), 경련, 뇌혈관장애 등이 높은 빈도로 나타난다.

치료에 사용되는 스테로이드(steroid)에 의해서도 정신증상이 나타날 수 있기 때문에 감별이 필요하다.

6) 심장 · 혈관장애

심내막염 · 심외막염 · 심근염 등은 약 20%로 나타난다. 심낭액의 저류도 드물지는 않지만 위험해지는 경우는 많지 않다. 판막증에서는 Libman-Sacks형 심내막염이 유명하다. 판막 주위에 증식(vegetation)이 나타난다.

7) 폐증상

흉막염, 간질폐렴, 고혈압증을 일으키는 경우가 있다.

8) 혈액

범혈구감소가 나타난다. 항백혈구 항체 · 항혈소판 항체에 의해 백혈구와 혈소판이 감소된다.

4. 검사소견

임상증상을 반영하는 소견, 자가면역성 질환이라는 것을 반영하는 소견, 만성 염증을 반영하는 검사소견이 있다.

1) 말초혈액

약 80%의 증례에서 빈혈이 나타나고, **자가면역 용혈빈혈**(autoimmute hemolytic anemia : AIHA)이 10~20%로 속발하며, 정상 적혈구빈혈(normocytic anemia)이 나타난다.

용혈빈혈의 소견으로는 합토글로빈(haptoglobin)의 저하, LDH의 증가, 간접 빌리루빈(bilirubin)의 증가, 그리고 Coombs 검사 양성이 나타난다. **혈소판**, **백혈구**도 감소한다.

AIHA와 특발성 혈소판감소자색반(idiopahic thrombocytopenic purpura ; ITP)이 합병된 병태를 Evans 증후군이라고 한다.

백혈구가 감소하는 결합조직 질환

- SLE(용혈빈혈에 대해 Coombs 검사 양성)
- Felty 증후군(용혈빈혈에 대해 Coombs 검사 음성)
- Sjögren 증후군

Evans 증후군 = AIHA + ITP

염증 반응을 반영하는 소견으로는,

- ESR 항진
- γ-globulin 증가

가 있다. CRP는 음성이다. CRP가 양성이면 감염증의 합병을 의심해 볼 필요가 있다. 신증후군이 발생하면 저알부민증이 된다.

2) 소변 Urine

SLE에 의한 신장장애의 결과, 단백뇨, 현미경적 혈뇨가 발생한다. 참고로, 신증후군에서의 단백뇨의 정의는 요중 단백질이 3.5g 이상/1일이다.

3) 면역학적 검사

① 자가항체

항핵항체(ANA)는 대부분의 SLE 증례에서 나타나며, 그중 항dsDNA 항체, 항Sm 항체가 특이도가 높다.

② LE cell 현상

SLE에서 나타나는 경우가 많아, 약 70%에서 볼 수 있다.

③ 생물학적 위양성(biological false positive : BFP)

20～30%에서 매독혈청반응이 거짓 양성이 된다.

④ 혈청 보체값

활동성의 지표로서 사용된다. 활동기에는 면역복합체의 소비로 인해 C3, C4, CH50 등의 혈청 보체값이 감소한다.

4) 안저

안저의 면화반(cotton－wool patch), 불꽃모양 출혈이 나타나는 경우가 있다.

5) 병리

① 신장

루푸스신장염/루푸스콩팥염은 병리학적으로 I～VI형으로 분류된다(**표 2-5**). 특히, VI형에서 보이는 wire loop lesion이라는 병리소견은 기억해 두어야 한다. 막성 신장염(MGN)은 신증후군을 나타내는 경우가 많고, 미만성 증식성 신장염은 예후가 가장 나쁘다.

② 비장

Onion－skin lesion이라고 불리는 중심동맥 주위의 섬유화가 나타난다. 전혀 증상이 없기 때문에 부검 시에 발견된다.

③ 심장

Libman－Sacks형 심내막염의 경우, 판막에 증식(vegetation)이 부착되어 있다. 이것도 증상이 없기 때문에 부검 시에 발견된다.

	분류	소견	주요 신장증상
클래스 Ⅰ	미세변화 (minimal mesangial LN)	• 광학현미경에서는 정상 • 형광항체법으로 메산지움 영역에 면역 침착물(주로 면역복합체: IC)을 볼 수 있다.	(-)~경도 단백뇨/혈뇨
클래스 Ⅱ	메산지움/사구체간질 병변 (mesangial proliferative LN)	• 메산지움세포의 증식 • 형광항체법 또는 전자현미경에서 상피 아래, 내피 아래의 면역 침착물이 조금 보이는 경우도 있다.	무증후성 단백뇨/혈뇨
클래스 Ⅲ	초점분절사구체신염 (focal segmental glomerulonephritis) focal < 50% LN	• 내피 아래의 면역 침착물과 내피세포의 증식에 의한 혈관내강의 협소화. • 메산지움세포의 증식(없는 경우도 있다).	무증후성 단백뇨/혈뇨 신증후군
클래스 Ⅳ	미만성 신장염 (diffuse hyperplastic nephritis) diffuse ≧ 50% LN	* Ⅳ형은 가장 중증형으로 약 반수에서 신장병증이 보이며, 신부전으로 이행하기 쉽다.	만성 신장염 증후군 급속 진행성 신장염
클래스 Ⅴ	막성 사구체신염 (membranous glomerulonephritis) membranous LN, GBM의 광범위한 비대	• 기저막 상피 아래의 면역 침착물 • 메산지움세포의 증식(없는 경우도 있다). • Ⅲ, Ⅳ형과 합병되는 경우가 있다. * 기저막의 단백투과성 항진에 의해 대부분은 신장병증을 나타내지만, 신장기능은 저하되지 않는다.	신증후군
클래스 Ⅵ	경화성 신장염 (progressive sclerosing nephritis)	• 전체 토리의 90% 이상이 전절성 경화를 나타내며, 잔존 신장기능이 보이지 않는다.	만성 신부전

[표 2-5] 루푸스신장염의 분류와 병태

5. 진단기준

표 2-6의 11항목 중, 4항목 이상을 충족시키면 SLE로 진단된다.

6. 활동성의 지표 (표 2-7)

중추신경증상이나 신장장애가 활동성 판정기준에 없는 것은 그 자체가 존재하면 활동성이 있다고 판정할 수 있기 때문에 굳이 기준에 넣지 않았다.

7. 치료와 예후

신장 · 중추신경증상, 용혈빈혈, 혈소판 감소가 있으면 50~60mg/day, 혈소판 감소가 없으면 30mg/day의 부신피질스테로이드제를 복용시킨다.

2~4주의 간격으로 5~10mg씩 감량하여 유지량이 15mg 전후가 되도록 한다. 병세가 급격히

악화되면 스테로이드 펄스(steroid pulse) 요법(예 : prednisolone 500~1,000mg/day을 연속 3일 투여하는 것을 1단위로 하여, 3주일에 3단위)을 실시한다.

일반적인 스테로이드의 부작용에는 다음과 같은 것이 있다.

- 감염성 증가
- 내당능(glucose tolerance) 저하
- 소화성 궤양
- 골다공증
- 정신증상
- 부신피질기능 저하

결합조직 질환을 치료할 때 스테로이드의 부작용으로 가장 문제가 되는 것이 폐렴 등의 감염증이다. 그리고 또 한 가지 경시할 수 없는 것이 대퇴골두/넙다리뼈머리 괴사이다. 그리고 SLE의 경우, 스테로이드에 의한 정신장애와 본래의 병의 악화로 인한 정신증상과의 감별을 하기 어려운 경우가 있으므로 주의가 필요하다.

스테로이드의 사용으로 루푸스신장염에 의한 사망이 감소되고 있다고는 하지만, 사망 원인 중 제1위는 신장장애이다. 또한 스테로이드의 사용에 의한 감염증도 사인의 많은 부분을 차지한다.

면역억제제는, 급속으로 진행되는 예나 스테로이드에 저항성인 경우, 스테로이드와 병행해서 사용한다. Cyclosporin, azathioprine, cyclophosphamide가 일반적으로 사용된다.

1. 얼굴(뺨 부위) 홍반
2. 원반모양 홍반(discoid rash)
3. 광선과민증(photosensitivity)
4. 구강궤양(oral ulcers, 무통성이며 입안이나 코, 인후에 나타난다)
5. 비미란성 관절염(2관절 이상)
6. 장막염(serositis)
   a) 흉막염, 또는 b) 심장막염
7. 신장장애(nephropathy)
   a) 1일 0.5g 이상 또는 +++ 이상의 지속성 단백뇨, 또는
   b) 세포성 원주
8. 신경장애(nervous disorder)
   a) 경련, 또는 b) 정신장애(psychosis)
9. 혈청이상(hematologic disorder)
   a) 용혈빈혈
   b) 백혈구감소증(<4,000/㎕)
   c) 림프구감소증(<1,500/㎕), 또는
   d) 혈소판감소증(<100,000/㎕)
10. 면역이상(immunologic disorder)
   a) anti-ds DNA 항체 양성
   b) anti-Sm 항체 양성
   c) anti-phospholipid 항체 양성
      ① IgM 또는 IgG anticardiolipin 항체의 이상치
      ② lupus 항응고인자 양성(anticoagulant)
      ③ 매독 혈청반응 생물학적 위양성(biological false-positive)
11. 항핵항체 양성(anti-nuclear Ab)

* 상기 항목 중 4항목 이상을 충족시키는 경우에 전신홍반루푸스(SLE)로 진단한다.

[표 2-6] SLE 진단기준

1. 발열(>37℃)
2. 관절통(arthralgia)
3. 홍반(얼굴 이외도 포함)
4. 구강궤양 또는 대량 탈모
5. ESR 항진(30mm 이상/1시간)
6. 저보체혈증(C3<60mg/dL, CH50<20 단위)
7. 백혈구감소증(4,000/mm3)
8. 저알부민혈증(hypoalbuminemia)(<3.5g/dL)
9. LE cell 또는 LE test 양성

* 상기 9항목 중 3항목 이상이 양성이면 활동기라고 판정한다.

[표 2-7] SLE 활동성의 판정기준

전신홍반루푸스(SLE) 핵심정리

병태생리로 보는 전신홍반루푸스(SLE)

이 질환은 유전적 소인을 배경으로 호르몬 이상이나 바이러스 감염 등이 원인이 되어 항핵항체 등의 다양한 자가항체를 생산함으로써 발생하는 만성 염증성 질환이다. 결합조직질환 중에서도 현저하게 다양한 장기병변을 나타낸다.

병 인	• 유전소인 – 특정 HLA항원(HLA-DR2, DR15, DQW3 등)과의 관련성 • 환경인자 – 스트레스, 감염성 병원체, 염증유발 식사, 자외선, 약물 등의 외적인자 • 성호르몬(특히 에스트로겐)
병 태	• 자가항체의 직접 작용과 자가항체에 의해 형성되는 면역복합체의 조직침착이 병태의 중심 • 그 밖에 자가반응성 T세포(Ⅳ형 알레르기)도 관여한다.
증 상	• 전신증상 – 피로감, 전신권태감, 발열, 체중감소 • 관절·근육증상 – 무균성 골두괴사 • 피부증상 – 뺨과 코 주위의 **나비형 홍반** – 원반모양 루푸스 – 광선과민증 – 구강내 궤양 – Raynaud 현상 – 그물울혈반 – 탈모

증 상	• 신장증상 – 혈뇨, 단백뇨, 소변량 감소, 신증후군 • 중추신경증상 – 정신증상(우울증, 불안, 인식장애, 환상 등), 경련, 뇌혈관장애 • 심폐기능 및 혈관장애 – 심내막염, 심외막염, 간질폐렴, 고혈압증 • 혈액 – 범혈구감소(백혈구, 혈소판 감소) – 면역글로불린 증가 – 적혈구침강속도(ESR) 증가 – 보체 감소
진 단 및 검 사	**검사소견** • 말초혈액 – 약 80%의 증례에서 빈혈이 나타남 – 자가면역 용혈빈혈이 10~20%로 속발하며 정상 적혈구빈혈이 나타남 • 소변 – 단백뇨, 현미경적 혈뇨 • 면역학적 검사 – 항핵항체는 대부분의 SLE 증례에서 나타난다. – LE cell 현상은 약 70%에서 나타난다. – 20~30%에서 매독혈청반응이 거짓 양성
치 료	**약물요법** • 부신피질스테로이드제 • 면역억제제 • 진통제 • NSAIDs

2 항인지질항체 증후군 Anti-phospholipid antibody syndrome : APS

1. 개념

항인지질항체 증후군(APS)이란, 항인지질항체(APA)가 양성이며, 반복되는 전신의 동맥 · 정맥혈전증을 임상증상으로 하는 새로운 질환개념이다.

검사소견에서는 응고시간이 연장되는데도 불구하고 임상적으로는 혈전증이 나타나는 일견 모순된 질환이다.

Lupus anti-coagulant(LAC)와 SLE와의 관계를 고려하여 APS를 여기에서 다루기로 하겠다.

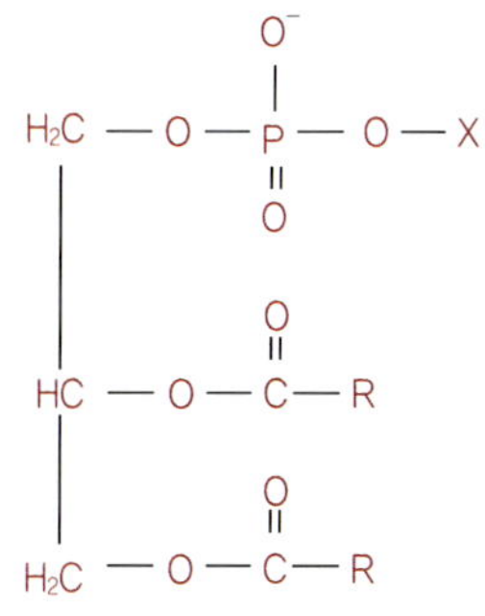

[그림 2-24] 인지질(phospholipid)

1) 인지질 Phospholipid 이란?

인지질(phospholipid : PL)이란 **그림 2-24**와 같은 기본구조를 갖는 화학물질을 말한다.

인지질은 세포막의 구성성분 중의 하나이다. **그림 2-24**의 X는 인지질에 따라 달라진다. 인지질에는 cardiolipin, phosphatidyl choline, phosphatidyl serine, phosphatidyl inositol, sphingosine, ceramide 등 여러 가지가 있다.

이 중에서 특히 항인지질항체(anti-phospholipid Ab)가 인식하는 인지질로서, cardiolipin이 주목을 받고 있다. Cardiolipin은 미토콘드리아막에 존재한다.

2) 항인지질 항체 Anti-phospholipid Ab

항인지질 항체(anti-phospholipid antibody : APA)란 인지질에 대한 항체를 말한다.

어떻게 측정하는지 살펴보자(**그림 2-25**). 인지질이 깔려 있는 측정용 플레이트에 피검 혈청을 떨어뜨린다.

만약 인지질에 대한 항체가 존재하면 플레이트 위의 인지질에 항체가 결합한다. 그 위에 다시 형광색소로 표지한 anti-human IgG Ab를 반응시킨다. 항인지질항체 양성이란 플레이트 위에서 형광이 검출되는 것을 말한다.

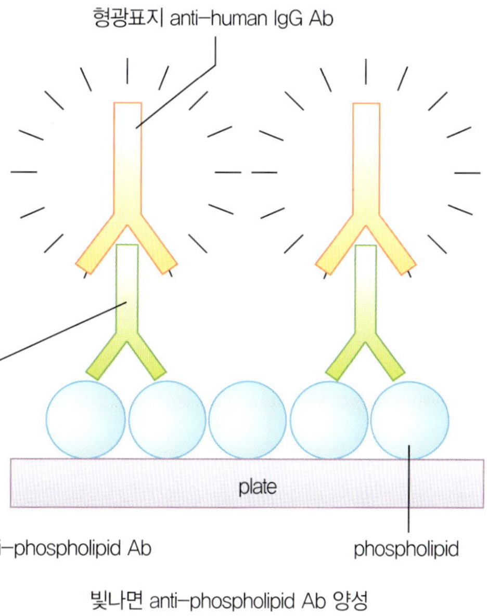

[그림 2-25] anti-phospholipid Ab 양성

3) 생물학적 위양성 생물학적 거짓양성

생물학적 위양성(biological false positive : BFP)이란 말을 알고 있을 것이다. 매독을 예로 들어 설명하면, 실제로는 감염되지 않았는데 그 검사에서 양성이 되어 버리는(거짓양성) 것을 말한다. 매독검사에는 2가지가 있는데, 하나는 STS(serologic test for syphilis)이고, 또 하나는 TP(Treponema pallidum) 항원법이다. STS는 cardiolipin을 항원으로 사용하는 검사이고, TP 항원법은 Treponema 그 자체를 항원으로 사용하는 검사이다.

STS의 하나로 유리판법이 있다. 유리판법이란 유리판(slide) 위에 cardiolipin으로 표지한 cholesterin이 항체에 의해 응집, 침강하는 것을 보는 검사이다.

매독혈청반응 {
- STS의 한 종류–유리판법
- TP 항원법의 한 종류–TPHA

TP 항원법의 하나로 TPHA(Treponema pallidum hemagglutination assay)가 있다. Treponema를 살포해 놓고 그 일부를 적혈구 막에 붙인다. Treponema에 대한 항체가 있으면 적혈구가 응집한다. 이 응집 유무를 보는 것이 TPHA이다. STS, TP 항원법의 결과에서 다음과 같은 것을 알 수 있다.

STS, TP 항원법의 결과로 알 수 있는 것

STS	TP 항원법	
+	+	…… 치료를 요하는 매독
−	−	…… 매독이 아니다
−	+	…… 매독의 기왕력
+	−	…… BFP

유리판법의 성격상, anti-phospholipid Ab가 양성인 사람은 생물학적 위양성이 되는 경우가 있다. 생물학적 위양성은 SLE의 약 25%에서 나타난다. 그 이유는 SLE 환자에게 anti-phospholipid Ab 양성인 사람이 많기 때문이다.

4) 루푸스 항응고인자 Lupus anticoagulant : LAC

SLE 환자인 경우에 응고시간(PTT, PT time)이 연장되는 경우가 있었다. 조사해 보았더니 혈우병에서와 같은 응고인자의 결손이나 결핍이 없었으며 또한 응고인자에 대한 항체가 있는 것도 아니었다. 그러면 무엇이 이와 같은 병태를 나타내는 것일까 하고 궁리한 끝에 원인불명의 응고억제인자가 SLE 환자에게 존재할 것으로 추정해, 이것을 루푸스 항응고인자(lupus anticoagulant)라고 명명하였다.

5) 항인지질 항체 Anti-phospholipid Ab 와 루푸스 항응고인자 Lupus anticoagulant

항인지질 항체(anti－phospholipid Ab)란 인지질에 대한 항체이고, lupus anticoagulant란 응고시간을 연장시키는 물질이다.

APA와 LAC

- Anti–phospholipid Ab(APA)
  인지질에 대한 항체가 있는가 없는가?
- Lupus anticoagulant(LAC)
  응고시간이 연장되는가 연장되지 않는가?

이 두 가지의 관계는 **그림 2–26**처럼 되어 있으며 다시 생물학적 위양성과 연결시켜 생각하면 **그림 2–27**이 된다. Anti－phospholipid Ab와 lupus anticoagulant는 정의 자체가 다르기 때문에 엄밀히 말해 이 두 가지는 서로 다르다는 것을 기억해 두자.

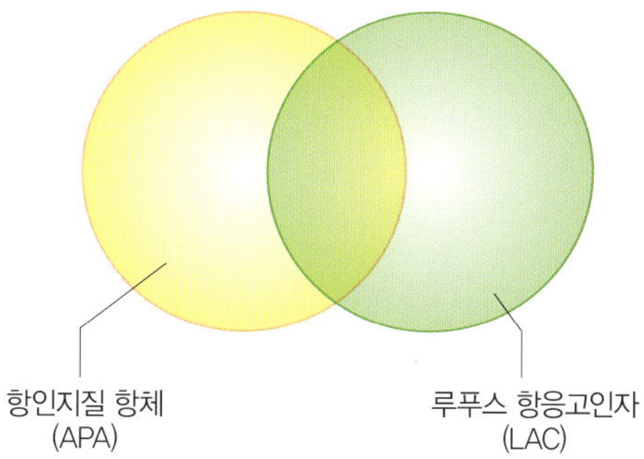

[그림 2–26] APA와 LAC의 관계

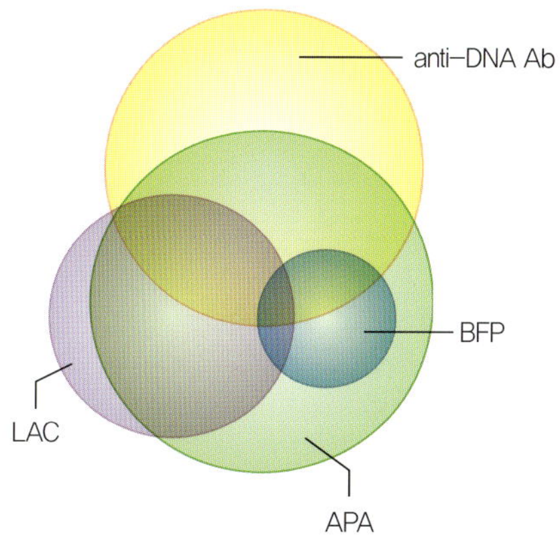

[그림 2–27] APA, LAC, BFP의 관계

6) 항인지질 항체가 있으면 왜 혈전증이 발생하는가?

Anti－phospholipid Ab의 존재로 인해 왜 혈전증이 발생하는가 하는 것은 모두의 관심사 중 하나이지만 아직 명확하게 밝혀지지는 않고 있다.

TIP

Anti-phospholipid Ab가 있으면 왜 응고시간이 연장되는가?

응고시간에는 partial thromboplastin time(PTT)과 prothrombin time(PT)이 있다. PTT는 내인계(intrinsic system)의 응고시간을 반영하고 PT는 외인계(extrinsic system)의 응고시간을 반영한다. PTT를 측정할 때에는 혈액에 인지질을 가해 혈액을 응고시키고, PT를 측정할 때에는 응고인자(III)와 인지질을 가해 혈액을 응고시킨다.

PTT나 PT는 인지질을 이용하여 측정하기 때문에 anti-phospholipid Ab가 존재하는 경우에는 첨가한 인지질에 항체가 결합한다. 그렇게 되면 응고의 개시가 억제되어 응고시간이 연장되는 것이다.

그러나 anti-phospholipid Ab가 양성인 경우에는 반드시 응고시간이 연장된다고는 할 수 없기 때문에, anti-phospholipid Ab = lupus anticoagulant 라고는 할 수 없다.

오늘날 lupus anticoagulant를 정의할 때는 기초질환으로서의 SLE의 존재는 필요없다. 정의를 내리는 데에는 응고인자의 결손이나 기능저하가 아니라 응고시간의 연장이 중요시되고 있다.

Lupus anticoagulant가 양성이 되는 질환과 병태

- **자가면역 질환**
  SLE, RA 등
- **약제복용**
  chlorpromazine, procainamide 등
- **감염**
  세균, 바이러스, 원충
- **림프계 증식성 질환**
  악성 림프종 등
- **기타**

2. 역학

남녀비는 1 : 1.6으로 여성에게 약간 많으며, 20대의 발병이 눈에 띈다. SLE나 MCTD, SSc 등에 합병되는 속발 증례와 기초질환이 없는 원발 증례가 있다. 결합조직 질환 이외에도 악성 종양이나 매독 등의 감염증, 약제로 발병하는 경우가 있다.

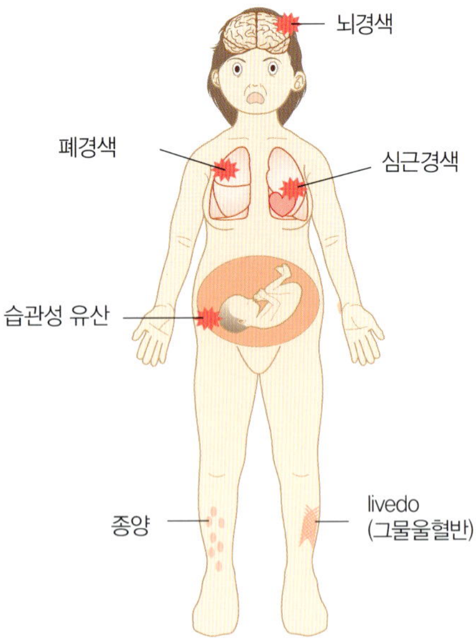

[그림 2-28] APS의 임상증상

3. 임상증상 (그림 2-28)

1) 전신증상

습관성 유산이 유명하다. 그 외에도 MRI 등으로 확인되는 다발성 뇌경색 · 폐경색 · 신장경색, 젊은층에서 나타나는 심근경색 등이 있다. 그 밖에도 고혈압, 말초신경장애(허혈이 원인) 등이 있다.

2) 피부증상

그물울혈반(livedo, 그림 2-45, p.128), 혈전성 정맥염, 피부궤양이나 괴사 외에 혈전을 나타내는 손바닥의 피하결절 등이 있다. 속발하는 증례에서는 Raynaud 현상 등이 나타난다.

4. 검사소견

항카르디오리핀 항체(anti-cardiolipin antibody), 항β2GP1 항체, LAC 양성, 그 밖에 혈소판 감소, PT · PTT의 연장도 있다.

5. 진단기준

예비 기준으로서 International Preliminary Criteria가 많이 사용되고 있다.

6. 치료 및 간호

아스피린이나 와파린, 항혈소판제 등에 의한 항응고요법이 치료의 중심이 된다. 다만 습관성 유산에 대해서 와파린은 최기형성(teratogenicity)이 있기 때문에 금기가 된다. 부신피질스테로이드제는 장기적인 복용으로 부작용이 염려되어 극증형이나 염증증상이 심할 때 또는 원질환의 활동성이 높아 조절이 안 될 때 단기적으로 사용한다.

C 피부경화증 Scleroderma

피부경화증에는 전신이 침범당하는(내부 장기를 침범당하는) 전신경화증(systemic sclerosis)과 신체의 일부분만이 딱딱하게 되는(내부 장기를 침범하지 않고 피부증상만 존재하는) 국한피부경화증(localized scleroderma)이 있다. 전자(**그림 2-29**)는 내과의 범위에서 후자는 피부과에서 다루고 있다.

피부 · 폐 · 심장 · 신장 · 소화기 등의 내장의 섬유화와 혈관장애를 주체로 하는 질환으로서 자가면역에 의한 것이라고 추정되고 있다. 피부경화증을 PSS(progressive systemic sclerosis)나, SSc(systemic sclerosis)라고 하는데, PSS는 비교적 옛날에 사용했던 용어이다. 그리고 반드시 progressive(진행성)는 아니기 때문에 오늘날에는 SSc가 일반적이다. "진행한다"는 것은 환자에게 있어서는 매우 비관적이기 때문에 명칭을 바꾸는 것만으로도 이미지가 개선된다.

SSc의 생명예후를 결정하는 인자

- 폐섬유증
- 경화 신장
- 소화흡수불량 증후군

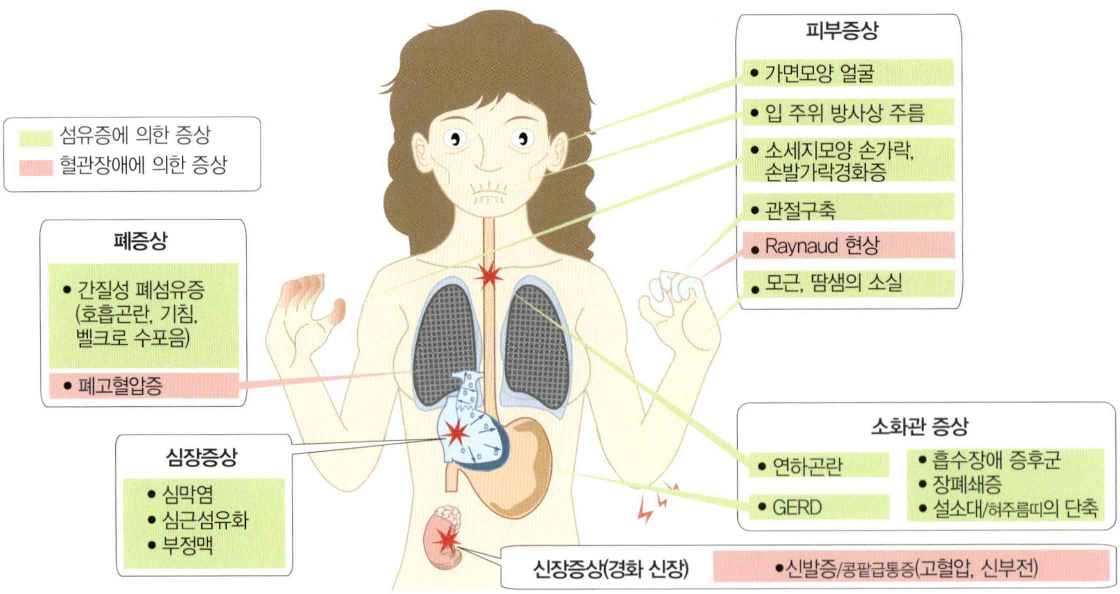

[그림 2-29] 전신피부경화증에서 나타나는 증상

1 역학

남녀 비율은 1 : 10으로, 압도적으로 여성에게 많이 발생하며 40대에 가장 많이 발생한다. 인구 10만 명당 5~6명 정도로 발생한다.

원인으로는 자가면역 · 세포성장인자 · cytokine · collagen 대사 · 유전자 · 혈관장애 등의 관여를 들 수 있다. 단순하지 않은 다양한 병태를 초래한다고 추정되고 있다. 약 90%의 환자에게서 항핵항체가 양성이 되지만 이 항체 자체가 경화에 직접 관여하는 것은 아니다.

병변이 있는 피부에는 섬유모세포가 있으며 여기에서 콜라겐(collagen) 생산이 항진되고 있다. 보통 무한으로 생산되는 것은 아니지만, 콜라겐량의 증가, 콜라겐 mRNA 레벨 상승, 콜라겐 유전자 조절 영역 활성화 등이 확인되고 있다.

2 분류

피부경화의 형태에는 크게 나누어 다음 2가지가 있다(표 2-8).

① Limited cutaneous SSc(국한성) : 피부경화가 사지 말단에 국한되는 형태
② Diffuse cutaneous SSc(미만성) : 피부경화의 범위가 사지를 넘어 몸통 등 넓은 범위에서 나타나는 형태

SSc는 팔굽관절/주관절을 기준으로 한 피부증상 외에 Raynaud 현상의 출현 시기와 증상이 나타난 장기, 높은 비율로 검출되는 항핵항체 등의 요소를 추가하여 분류한다.

	국한성 SSc	미만성 SSc
피부 증상	• 경화가 팔굽관절에서 원위에 미친다(강지증, Sclerodactylia). • Raynaud 현상 경화에 선행(Raynaud's phenomenon) • 모세혈관 확장(Telangiectasia) • 피하조직 석회화(Calcinosis)	• 경화가 팔굽관절에서 가까운 곳에도 미친다. • 경화는 Raynaud 현상과 동시 또는 늦게 발생한다. • 모세혈관의 탈락
주된 장기 증상	• 폐(고혈압증) • 식도연동 저하(Esophageal dysfunction) • PBC(종종)	• 폐 • 심장 • 식도 • 신장
주된 항핵항체	• 항centromere 항체	• 항topoisomeraseI(항Scl-70)항체 • 항RNA polymerase항체
진행	느림	급속

[표 2-8] SSc의 병형 분류

①의 limited 형태는 항핵항체 가운데 항centromere 항체가 양성이며 CREST 증후군을 나타내는 경우가 있다.

CREST 증후군이란

- Calcinosis(석회화)
- Raynaud's phenomenon(Raynaud 현상)
- Esophageal dysmotility(식도꿈틀운동 저하)
- Sclerodactylia(손가락 경화증)
- Telangiectasia(모세혈관 확장)

의 머리글자를 딴 것으로, SSc의 아형이다.

5가지 증상이 모두 나타나야 하지만, 이 가운데 식도병변이 없는 것은 CRST 증후군이라고 한다. 최근에는 5가지 증상이 모두 나타나지 않아도 경증의 SSc (limited SSc)로서 centromere 양성인 예를 CREST 증후군이라고 한다.

사지말단만 침범당하는 limited 형태는 신장이 침범당하는 경우는 드물지만, 그 대신 폐고혈압증을 동반하기 쉽다.

3 임상증상 (그림 2-30)

1. 피부증상

피부경화는 사지의 말단에서부터 시작되며, 병기는 대략 3부분으로 나뉜다.

우선, 부종성 경화기, 그 다음이 경화기, 그리고 마지막이 위축기이다. 처음에는 부어오른 듯한 느낌이 들다가 차츰 딱딱해진다.

경화기에는 딱딱한 느낌이 최고조에 이르며, 피부는 광택이 나면서 팽팽하게 부어오른다.

위축기에는 피부가 위축되므로 얼핏 보면 단단한 느낌이 없어진 것처럼 보인다.

1) 피부경화

손가락의 경화로 인해 관절구축을 초래하는 경우가 있다. 또한 앞가슴 부분에서는 피부가 당겨져서 광택이 난다.

또 이마나 뺨에서는 피부가 당겨져서 표정이 없는 가면모양의 얼굴(masked face)을 나타내며 입을 벌리는 데 제한을 받는 경우도 종종 있다.

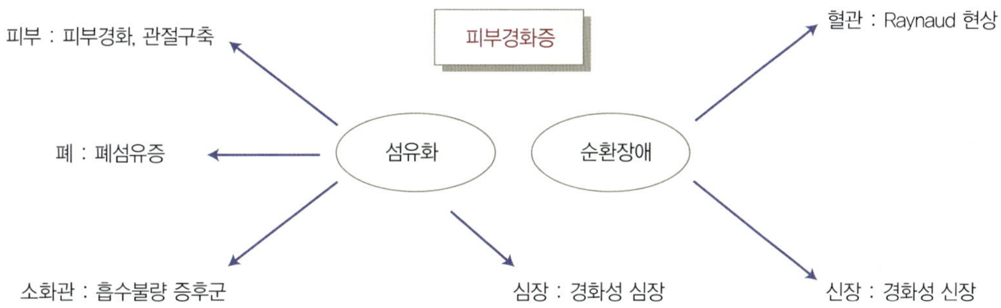

[그림 2-30] **피부경화증(scleroderma)에서 나타나는 증상**

2) 손가락 끝의 벌레먹은 모양의 흉터/궤양 (그림 2-31)

질환 특이성이 높다. 반복되는 작은 상처나 궤양이 피부경화와 혈행불량 때문에 치유가 지연되고 수없이 반복됨으로써 발생한다.

3) 미만성 색소침착

피부경화가 진행하면 색소침착이 나타난다. 몸통 등에서는 군데군데 색소가 탈색된 부위가 섞여 있는 색소침착이 나타난다.

4) 혀유착증 설소대단축증 Ankyloglossia

설소대/혀주름띠에 섬유성 변화가 일어나면 백색이 되고 단축되어 보인다. 혀를 경구개/단단입천장(hard palate)에 대보아 확인할 수 있다.

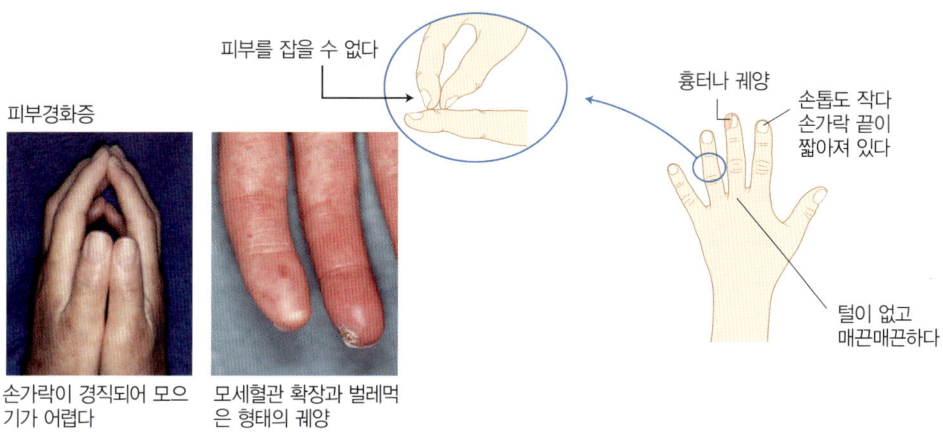

[그림 2-31] **피부경화증 환자의 손**

5) 손톱상피 출혈점 Nail fold bleeding

SSc나 DM에서 보이며 손톱 뿌리 쪽의 얇은 살갗에 생기는 출혈점이다. 손톱상피(조갑)가 연장되고 그 속에 점상 출혈이 나타나는데 몇 개의 손톱에서 나타나기도 한다.

6) 모세혈관 확장, 석회화 등

2. 혈행장애

1) 피부궤양 · 괴저

동맥의 폐쇄 등으로 사지말단에 궤양이 생기기 쉽다. 궤양은 치료하기 어려워 호전과 악화가 반복된다.

2) Raynaud 현상

약 90%의 환자에게서 나타나는 사지말단의 허혈성 변화로, 손가락 · 발가락의 세동맥이 발작성으로 수축함에 따라 피부의 색조가 정상 → 백색 → 보라색 → 붉은색 → 정상으로 변화하는 현상이다.

기온의 저하, 에어컨 등 온몸이 차가워지는 상황에서 발병, 악화되기 쉽다. 또 스트레스나 긴장 등 교감신경의 자극도 원인이 된다.

피부경화증(SSc)이나 혼합성 결합조직병(MCTD)에서는 거의 나타지만, 그 외의 결합조직질환에서도 볼 수 있다.

3. 소화관 병변

하부 식도의 연동운동이 저하되며 **역류성 식도염**을 동반한다. 그 밖에 십이지장의 운동기능상실이나 허혈성 대장염 등을 볼 수 있다. 설사나 변비를 반복해 흡수불량증후군을 나타내기도 하며, 비타민 B_{12} 결핍의 거대적혈모구빈혈(megaloblastic anemia)이 발생하기도 한다.

4. 신장 병변

갑자기 고혈압이 되어 신부전/콩팥기능상실이 급속하게 진행되는 경우가 있다. 이렇게 되면, 신장의 섬유성 변화에 의해 경화성 신장염 발작(scleroderma renal crisis)이 일어난다. 일반적으로 경화성 신장염이라고 하며, 고혈압, 신장기능장애, 레닌 상승을 특징으로 한다. 병태로는 섬유화에 의한 혈관내강 감소 → 신장혈류 저하 → 혈장레닌활성 상승 → 고혈압을 초래한다. 이 경우, ACE inhibitor를 즉각 사용해야 한다.

5. 폐 병변

1) 폐섬유증 Interstitial lung disease

Diffuse type의 80%에서 볼 수 있다. Limited type에서는 폐섬유증은 잘 나타나지 않지만 다수의 변화는 있다. 양쪽 폐저/허파바닥 부분에서 시작되어 점차 전체로 확대되어 간다.

2) 폐고혈압증

Limited type이나 MCTD 등에서 볼 수 있으며 이것이 발병하면 흔히 예후가 불량하다고 한다.

6. 심장증상

심근의 전도장애, 심낭염, 흉막염, 심근염 등을 볼 수 있다. 전도장애는 전도계의 섬유화에 의해 발생하는 것으로 돌연사를 초래한다.

TIP

손가락 끝이 새까맣게 되어 있는 사진을 보면 어떤 질환이 떠오르는가?

- 당뇨병
- 악성 류마티스관절염
- SSc
- PN
- ASO

이런 질환이 머리에 떠오르면 OK! 말초혈관장애가 공통점이다.

4 검사

진단을 위해서도 항핵항체를 포함한 일반검사, 합병증의 검색이 필요하다.

1. 혈액학적 소견

1) 항핵항체

약 90%에서 항핵항체가 보인다. 그중에서 특이하게 볼 수 있는 것으로는 항Scl-70 항체(항topoisomerase I 항체) · 항centromere 항체 · 항U1-RNP 항체가 있다. 보통 피부경화에 선행해서 나타난다. 경과 중에 낮아지는 경우는 있어도 소실되는 경우는 없다. 또, 동일 환자에게서 2개 이상의 항체가 보이는 일은 드물다.

항Scl-70 항체는 질환 특이성이 높아 이것이 양성이면 SSc라고 진단할 수 있다. 그러나 SSc 전체의 약 40%만이 양성이며 대부분은 diffuse type이다. 항centromere 항체 · 항U1-RNP 항체는 limited type에서 볼 수 있어 각각 전체의 10~20% 정도이다.

그 외에 항핵항체(anti-histone Ab, U3-RNP Ab, RNA polymerase I · II · III Ab 등) 양성군, 항핵항체 음성인 증례가 10% 이하이다. 양성이 되는 항핵항체의 종류에 의해서 각각 특징적인 임상적 특징을 나타내는 경우가 많기 때문에, 항체검사는 치료 방침의 결정에 유용하다(표 2-9).

양성이 되는 항핵항체	전형적인 임상증상	
	병형	기타 특징
항topoisomerase I (항Scl-70)항체	미만형 SSc	간질성 폐병변 (폐섬유증)
항RNA polymerase항체		신장, 심장병변
항centromere항체	국한형 SSc	PBC의 합병
항PM-Scl항체/항ku항체		PM의 합병

[표 2-9] 양성이 되는 항핵항체와 전형적인 임상증상

2) 빈혈

만성 염증에 의한 철의 이용 장애로 발생하는 빈혈과 앞에서 설명한 소화흡수장애 증후군에 의해 생기는 거대적혈모구빈혈이 있다.

3) ESR · CRP

ESR은 만성염증에 의해 1/3 정도가 고도 항진, 1/3이 중등도 항진, 그리고 1/3이 정상치이다. CRP는 음성인 경우가 많아 병세나 병형을 파악하는 데 이 두 가지가 필요하다. 상승할 때에는 활동성 상승 외에 전염성 질환의 합병을 감별해야 한다.

4) 혈장레닌 활성도 PRA : Plasma renin activity

혈압이 상승할 때나 신장기능이 저하될 때에는 상승한다(그림 2-32).

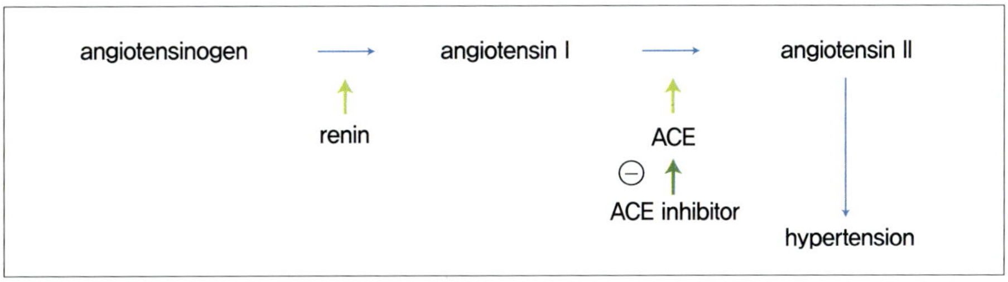

[그림 2-32] Renin-angiotensin system

5) 기타

근육염을 합병하면, 크레아틴키나제(CK)나 알돌레이즈(aldolase)가 상승한다.

2. 흉부 X-선 · CT

폐섬유증을 확인한다. 장기적인 폐섬유증에서는 악성 종양(폐암)이 발생하는 경우가 있다.

3. 심전도 검사

심부전/심장기능상실이나 전도장애를 본다. 또 심장초음파는 심장기능의 파악과 폐고혈압증의 평가에 이용한다. 후자가 있는 경우는 정기적으로 시행해 진행 상태를 파악한다. 심근장애가 있는 경우 심근 신티그래피(scintigraphy)에 의해 조기에 파악할 수 있다.

4. 상부 소화관 조영

하부 식도의 확장과 연동운동의 저하가 나타난다. 식도내압의 저하도 볼 수 있다.

5. 신장기능 검사

크레아티닌 제거율은 정기적으로 측정해 저하의 정도를 파악한다. 또 고혈압이 있는 경우는 혈압이 정상일지라도 신장기능장애가 있으면 반드시 혈장레닌 활성도를 검사한다.

6. 피부생검

아래팔을 펴는 쪽에서 시행한다. 진단을 위해서 필요하며 진피에서 교원섬유의 팽창과 증식이 나타난다.

7. 기타

사지의 X-선 검사에서는 석회화가 보이는 경우가 있다

TIP

Raynaud 현상과 폐고혈압증

Raynaud 현상으로 손가락의 혈관이 연축되어 손가락의 색이 변하는 정도라면 외관상 좋지 않을 뿐 그다지 문제가 될 것은 없다.

그러나 Raynaud 현상이 자주 일어나지 않도록 하는 것이 좋다. 한랭자극에 의해 손가락의 혈관이 연축될 뿐만 아니라 내장의 혈관도 연축될 가능성이 있기 때문이다. 예를 들어 우심 카테터를 통해 냉수를 주입하면 폐동맥압이 상승한다는 보고가 있다. 이것은 냉수자극에 의한 폐동맥 연축을 시사하고 있다. 이것을 pulmonary Raynaud phenomenon이라고 한다.

폐고혈압증(pulmonary hypertension)은 1차성인 것과 2차성인 것이 있는데, 2차성인 것 가운데 MCTD, SLE, SSc에서 속발하는 것이 있다고 알려져 있다. 그 원인으로는 pulmonary Raynaud phenomenon이 주목을 받고 있다.

이러한 의미에서, Raynaud 현상이 자주 일어나지 않도록 해야 할 필요가 있는 것이다.

5 치료 및 간호

SSc에 대한 근본적인 치료는 확립되어 있지 않다. 다만, 병세를 조절하는 데 기초가 되는 치료와 함께 다양한 대증요법이 있다. 경증의 limited type에서는 대부분 대증요법만으로 충분하다(표 2-10).

기초적인 치료로서는 부신피질스테로이드제와 D-페니실라민이 있다.

기초 치료에서 부신피질스테로이드제는 그 사용을 둘러싸고 현재 찬반 양론이 있다.

	병변부위	생활지도	약물요법
피부	피부경화	피부의 보호	(스테로이드)
	궤양		PGI_2
	Raynaud 현상	보온·금연	Ca길항제, PGI_2, ARB
폐	폐섬유증	금연	시클로포스파미드
	폐고혈압증	피임	ETR 길항제, PGI_2
소화기	GERD	식이요법	H_2 차단제, PPI
신장	신발증 (renal crisis)	식이요법	ACE 저해제

[표 2-10] SSc의 치료

진행을 늦추는 작용은 없고 부작용이 염려되기 때문이다. 스테로이드의 작용을 고려하면 모든 예에서 사용하는 것은 현실적이지 못하다. 피부경화가 시작된 초기이거나 진행이 매우 급속하거나 부종성 경화증상이 중심이 되거나 또는 관절구축이 고도이거나 염증소견(CRP, 적혈구침강)이 높은 수치를 나타내는 등의 소견이 다수 있으면 적응을 고려한다.

한편, D－페니실라민은 섬유화 억제작용이 있어 병의 초기부터 사용되어 왔다. 이 제제의 대사경로에서 비타민 B_6가 소비되기 때문에, 결핍증이 되지 않도록 비타민 B_6 제제도 병용된다.

근래에는 그 유효성을 의문시하는 견해도 있지만, 아직도 일반적으로 이용되고 있다.

대증요법에는 약물요법과 생활지도가 있다.

Raynaud 현상을 포함한 말초순환장애에는 혈관확장제 등이 필요하다. 비타민 E 제제나 프로스타글란딘 제제, 항혈소판제나 칼슘길항제 등이 사용된다. 또 한랭자극을 피해(냉수의 사용 등), 손발의 마사지나 일회용 난로(가슴에 품는 난로) 등의 사용을 권한다. 흡연은 말초혈관을 수축시키기 때문에 엄금한다. 피부에 궤양이 생기기 쉽기 때문에 혈행 개선작용이 있는 보습제 등을 적극적으로 사용한다. 궤양이 형성되면 프로스타글란딘 제제나 항트롬빈 제제 등의 투여와 외용요법이 중심이 된다.

상부 소화관장애(역류성 식도염 등)에는 프로톤펌프 억제제, 히스타민 H_2 길항제 외, 점막보호제나 제산제 · 소화제 등이 사용된다. 1회의 식사량을 줄이고 식사횟수를 늘린다. 또 위산분비를 촉진하는 자극물질은 가능한 삼가는 것이 좋다.

Angiotensin 변환효소(ACE) 저해제는 경화성 신장에 사용된다. 이것에 의해 레닌의 상승이 억제되기 때문에 혈압의 조절과 함께 신장기능장애도 억제된다.

폐섬유증에는 거담제나 진해제 등이 사용되며, 전염성 질환에는 항생제나 항진균제 등이 투여된다. 격렬한 운동은 삼가고 호흡곤란이 나타나면 계단보다는 엘리베이터 등을 이용해야 한다.

이 질환에서 폐병변은 예후가 좋지 않기 때문에, 진단이 내리는 대로 신속한 치료가 요구된다.

피부경화증(SSc) 핵심정리

병태생리로 보는 피부경화증(SSc)

피부경화증에는 전신이 침범당하는 전신경화증과 신체의 일부분만이 딱딱하게 되는 국한피부경화증이 있다. 피부경화증은 피부 · 폐 · 심장 · 신장 · 소화기 등의 내장의 섬유화와 혈관장애를 주체로 하는 질환으로서 자가면역에 의한 것으로 추정되고 있다.

병 인	• 자가면역 · 세포성장인자 · 사이토카인 · 콜라겐 대사 · 유전자 · 혈관장애 등의 관여
병 태	• 병변이 있는 피부에는 섬유모세포가 있으며 여기에서 콜라겐 생산이 항진된다. • 콜라겐량의 증가, 콜라겐 mRNA 레벨 상승, 콜라겐 유전자 조절 영역 활성화 등이 확인된다.
증 상	**피부증상** • 피부경화 • 손가락 끝의 궤양 • 미만성 색소침착 • 혀유착증 • 모세혈관 확장, 석회화 등 **심혈관 병변** • 운동 시 호흡곤란 • 심계항진 **혈행장애** • 피부궤양 · 괴저 • Raynaud 현상 **신장 병변** • 경화성 신장염 **소화관 병변** • 역류성 식도염 • 흡수불량증후군 • 구토, 설사

진단 및 검사	• 혈액학적 소견 – 약 90%에서 항핵항체가 보임 – 빈혈 – 혈장레닌 활성도 상승 • 흉부 X-선·CT • 심전도 검사 • 상부 소화관 조영 • 신장기능 검사 • 피부생검

치료	**기초치료** • 부신피질스테로이드제 • D-페니실라민 **대증요법** • 약물요법 : 혈관확장제, 비타민 E 제제, 프로스타글란딘 제제, 칼슘길항제 등 사용 • 생활지도 : 한랭자극 제거, 흡연 금지, 혈행 개선작용이 있는 보습제 사용 등

D 다발근육염·피부근육염
Polymyositis : PM/Dermatomyositis : DM

PM, DM 모두 자가면역이 관여하는 근육염을 주체로 하는 질환이다. PM이 미만성으로 횡문근/가로무늬근을 파괴하는 것에 비해 DM은 근육염에 피부증상이 추가된 것이라고 파악되고 있다. 예전에는 동일 질환으로 취급되어 왔지만 근육염의 유형 등이 약간 다르기 때문에 현재는 다른 질환으로 취급하고 있다.

한편, DM 가운데에도 근육염이 나타나지 않는 유형이 있다. 이것을 amyopathic DM이라고 하는데 CK 등은 정상치이고 근육증상이 없으며 피부증상만 있다. 근육증상만 있고 피부증상이 없는 PM과 반대되는 질환이라고 할 수 있다.

1 역학

발병률에 있어서 남녀의 비가 1 : 2로 여성에게 많은 질환이다. 모든 연령층에서 발병할 수 있지만, 아동기와 성인기(40~60세)에 2봉성의 피크가 나타난다.

전자는 소아 피부근육염이라고 취급되어 치료법에서 성인의 증례와 약간 다르다. 성인의 증례에서는 악성 종양의 합병이 약 30%로 나타난다. 다른 결합조직 질환과 비교하면 이것은 의미 있는 높은 수치이다.

바이러스 · 세균이나 환경물질에 의한 환경인자, 세포 · 체액면역의 이상, 암 유전자 등의 내재성 유전자와 바이러스의 관여, 체액면역 이상 등에 의한 악성 종양의 합병을 생각할 수 있다.

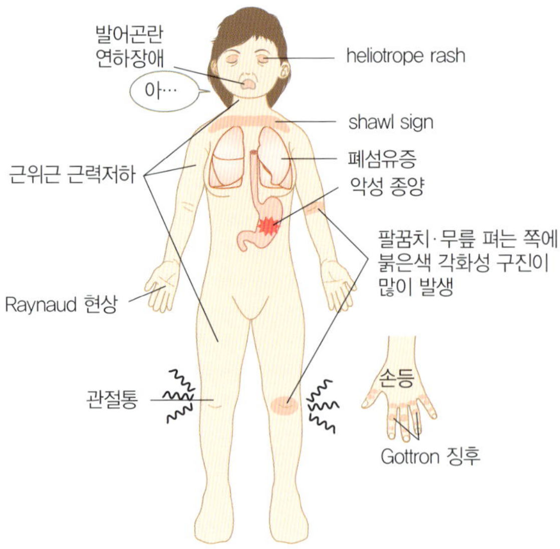

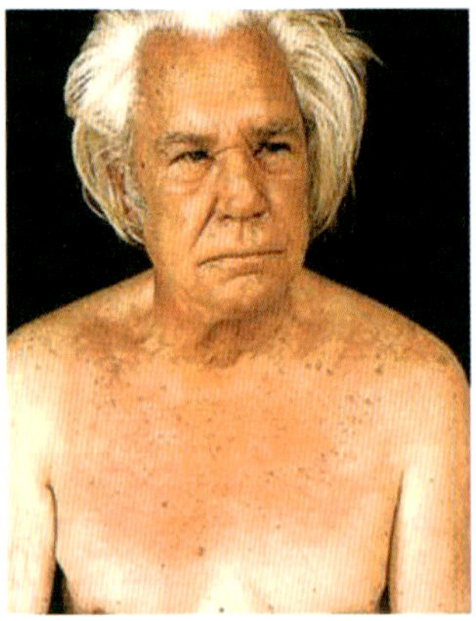

shawl sign

[그림 2-33] PM/DM에서 침범당하는 부위

2 임상증상 (그림 2-34)

1. 근육증상

근력저하가 주로 나타나며, 그 대부분이 **사지의 몸쪽 근육**에서 시작된다. 물건을 들어 올릴 수 없거나 계단을 오를 수 없는 증상은 근력저하를 암시한다. 중증이 되면 걷는 것이 힘들어지거나 팔을 올리기도 힘들어진다. 근육의 **파악통**(물건을 잡을 때 발생하는 통증)도 나타나며 근육의 파괴 · 위축에 의한 체중감소도 일어난다. 그 밖에 목부분의 굴근/굽힘근이나 횡격막/가로막 · 늑간근/갈비사이근육의 장애에 의한 호흡곤란도 나타나는 경우가 있다.

2. 피부증상

매우 다양하지만, 특이성이 있는 것이 많으므로 꼭 기억하기 바란다.

1) 헬리오트로프 발진 Heliotrope rash

양쪽 눈 주위, 특히 위눈꺼풀에서 볼 수 있는 보라색~홍색의 부종성 홍반이다. 사람에 따라서 연한 붉은색이거나 갈색을 띤다. DM에서 특이적으로 볼 수 있지만, 모든 증례에서 볼 수 있는 것은 아니다. 보통은 양쪽에서 나타나지만 한쪽에서만 나타나는 경우도 있다. 헬리오트로프(heliotrope)라는 말은 자홍색(자줏빛을 띤 붉은색)을 띤 꽃의 이름이다.

2) Gottron 징후

Gottron, H. A박사의 이름을 따서 명명하였다. 손가락 관절 등쪽면에 보라색~홍색의 각화성 홍반이나 구진이 생긴다(**그림 2-34**). 각각을 Gottron 구진, 그리고 홍반이나 각화성 국면상태를 Gottron 징후라고 구별하는 경우가 있다.

손가락 관절뿐만 아니라, 팔꿈치나 슬관절에 나타나기도 하며 보통 양측성이다. 또, 손가락관절을 굽히는 쪽에도 각화성 홍반이 나타나는 경우가 있는데, 이것들은 역Gottron 징후라고 하여 구별하고 있다.

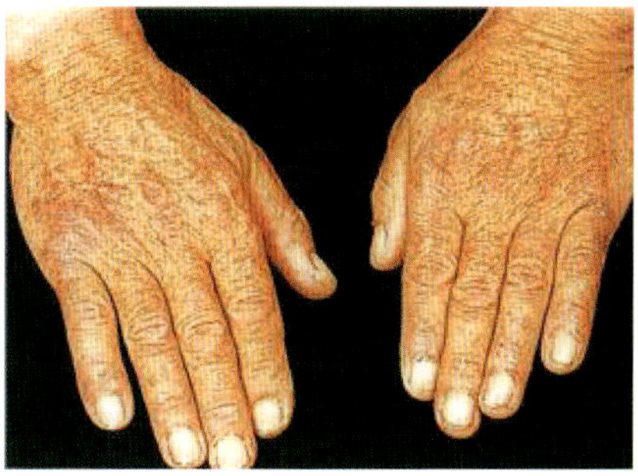

[그림 2-34] Gottron 징후

3) 몸통의 홍반

몸통이나 어깨에 부종성 홍반이 발생한다. 목 부위로부터 어깨 · 흉부에 걸친 홍반은 shawl sign이라고 한다. 소양증이 강하고, 긁은 자국이 선 모양으로 남는데(scratch dermatitis), DM에 특징적으로 나타난다.

4) 다형 피부위축 Poikiloderma

만성적인 경과를 거쳐 나타나는 증상이다. 색소침착, 색소탈색을 중심으로 한 위축성 홍반 국면으로서, 자세히 보면 모세혈관이 확장되어 있다. 어깨나 앞가슴 등에 많이 발생한다.

5) 그 외의 피부증상

광선 과민(빈도는 적다), 손톱주위 홍반, 손톱성곽(nail wall)부위 출혈점, 손톱상피 연장, 그물울혈반, 석회침착, 궤양, 수포(Gottron 징후 등에서 염증이 강하면 생기는 경우가 있다).

3. 폐병변

약 50%의 증례에서 어떤 종류의 폐병변이 보이는데 그 대부분이 **간질폐렴**이다. 만성으로 경과하는 것에서부터, 아급성, 급성으로 진행하는 것까지 다양하지만, 특히 급성으로 진행하는 것은 부신피질스테로이드제의 대량 투여나 면역억제제에 저항성으로 종종 사망에 이르게 한다.

4. 관절증상

약 30%에서 다발성 관절염이 나타난다. 그러나 관절의 변형이나 파괴를 초래하는 경우는 없다.

5. 악성 종양

앞에서 설명한 바와 같이, 악성 종양의 합병이 약 30%의 예에서 나타난다. PM보다 DM에 합병되는 경우가 많으며 폐 · 위 · 유선/젖샘 · 자궁 · 대장 · 전립선 외에 림프종 등의 합병도 볼 수 있다. 특별히 특정 암의 합병이 많은 것은 아니다. 악성 종양의 치료(예를 들어 위암이면 위의 절제)만으로 증상이 호전되는 경우도 드물지 않다.

TIP

악성 종양과 피부소견(dermadromes)

악성 종양이 피부질환에 동반되는 경우가 있다. 그 일례가 PM/DM이다. 그 밖에도 다음과 같은 질환이 있다.

- 악성 흑색표피종(malignant melanoma)
  겨드랑이, 서혜부, 목이 까칠까칠해지며 갈색을 띤다. 동반되는 암의 90% 이상이 위암이다.

- **Leser–Trelat 증후군**
  수개월 동안에 지루성 각화증이 급속히 몸통에서 다발하며, 동시에 피부 가려움증이 동반되는 것을 Leser–Trelat 증후군이라고 한다. 고령자에게서 사마귀가 급속도로 증가하면 악성 종양의 존재를 생각해야 한다.
- **윤상홍반/고리홍반(annular erythema)**
  특히 포행성(serpiginosum) 화환상 홍반에서는 내장 악성종양(유방, 폐, 위 등)이 100% 동반된다.
- **Bowen병**
  상피내암의 일종이며 이것도 내장 악성종양 특히 위암 등 소화기계 암의 동반을 생각해야 한다.
- **Sweet병**
  얼굴이나 팔의 통증성 홍반으로서 림프종 등의 혈액계 암을 동반한다.
- **수포증**
  포진성 피부염, 천포창(Pemphigus), 유사 천포창(Pemphigoid)에 내장 악성종양이 동반되는 경우가 있다.
- **후천성 비늘증(acquired ichthyosis)**
  Hodgkin병에서 흔히 나타난다.

플러스 코너

6. PM과 DM의 차이

PM/DM은 근육증상이 공통되므로 피부증상의 유무만이 다른 동일 질환이라고 취급되어 왔지만, 근래에는 병리학적 소견이나 임상증상의 차이 등에 따라 다른 질환으로 취급하는 경우가 많다.

	다발근육염(PM)	피부근육염(DM)
병리학적·면역학적 소견	· 세포손상 T세포나 대식세포의 정상 근육 조직에 대한 침입과 파괴가 보인다.	· T도움세포나 B세포가 사이토카인에 의해 활성화되어 유주해서 혈관 주위에 침윤한다. · 또 보체의 막손상복합체(MAC)의 침착도 보이므로, Ⅲ형 알레르기가 관여하는 것으로 보인다.
근육증상	· 강하다	· 약하다~강하다(무증상인 경우에도 근육생검에서 염증성 변화가 나타난다.)
피부증상	· 나타나지 않는다	· 나타난다(헬리오트로프발진 〈heliotrope rash〉, Gottron 징후 등)
발병양식	· 자가면역 질환이나 결합조직 질환, 감염증에 합병해 발병하는 경우가 많다.	· 다른 자가면역 질환이나 결합조직 질환과의 합병은 적고, 단독으로 발병하는 경우가 많다.
악성 종양의 합병률	· 정상인의 약 2배	· 정상인의 약 7배

3 검사소견

1. 자가항체

항핵항체의 양성률은 약 60%이다. 질환 특이성이 있는 것은 항Jo-1 항체이지만, 이것은 약 20% 정도만 양성이 된다.

① Anti-synthetase Ab(anti Jo-1)
이것은 DM보다 PM 환자에서 많이 발견된다. Anti Jo-1(+) 환자의 80%에서 간질폐렴이 관찰된다.

② Anti signal recognition peptide Ab
주로 PM 환자에서 많이 발견되며, 이 항체가 양성일 경우 예후가 나쁘다.

③ Anti Mi-2 Ab
주로 DM 환자에서 많이 발견되며, 이 항체가 양성일 경우 예후가 좋다.

2. CK, LDH, AST, ALT

이것들은 근원성 효소로서 근육의 파괴에 동반해서 상승한다. 또 알돌레이즈(aldolase : ALD)나 혈중의 미오글로빈(myoglobin : Mb)도 상승한다. 이 중에서 CK가 가장 민감(sensitive)하다.

3. 근전도 EMG

침범된 근육에서는 근원성 패턴(myogenic pattern)이 되지만, 활동성 지표는 되지 못하고 진단의 보조로서 실시된다.

4. 근육생검 Muscle biopsy

침범된 근육(일반적으로 삼각근/세모근, 상완이두근/위팔두갈래근, 대퇴이두근/넙다리두갈래근 등)을 채취한다. 근육의 파괴 · 절단 · 림프구 등의 염증세포 침윤의 유무 등을 확인한다. 사지 MRI에서는 근육염의 정도가 심한 곳이 묘사된다.

5. 흉부 X-선 · CT

간질폐렴의 평가, 진행정도를 파악하는 데 유용하다.

양측 하폐영역으로부터 airspace consolidation이 흉막을 따라서 반점 모양으로 음영이 분포되는 형태와 기관지계를 따라서 분포되는 형태가 있다. 병리조직에서는 BOOP(기질화폐렴을 동반한 폐쇄성 세기관지염), 즉 간질폐렴, 미만성 폐포 손상 등을 볼 수 있는데, 예후는 후자가 가장 나쁘다.

6. 심전도

30%에서 심전도 이상이 나타난다. 그 이유는 횡문근인 심장근육도 파괴되기 때문이지만, 대부분은 전도장애이다. 심근염까지는 되지 않는다.

4 치료 및 간호

부신피질스테로이드제가 제1선택약이 된다. 보통은 프레드니솔론 환산으로, 체중 1kg당 1mg/day부터 시작하여 약 4주일 정도 근육효소의 저하를 보면서 점차 줄여 간다(그림 2-35).

80% 정도는 효과가 나타나지만, 스테로이드에 저항성이 있는 증례나 간질폐렴이 급속히 진행되는 증례에는 **스테로이드 펄스요법** 외에 면역억제제가 병용된다. Azathioprine, methotrexate, cyclophosphamide, cyclosporin 등에 유효성이 나타난다. 작용기전은 밝혀지지 않았지만, **γ-글로불린 대량요법**도 유효하다는 보고가 있다. 그 외에 **혈장교환요법** 등이 있다.

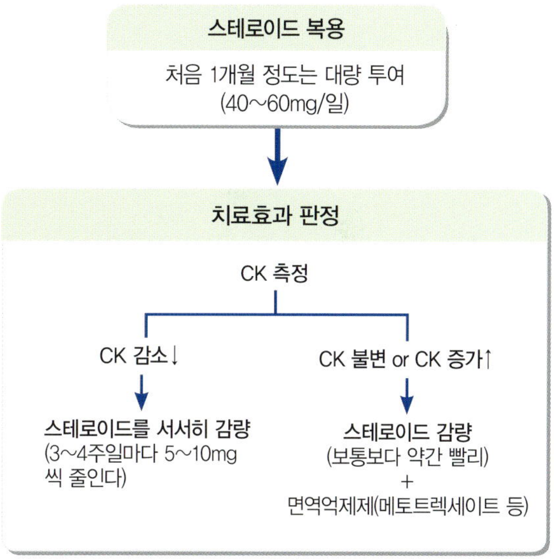

[그림 2-35] 스테로이드 복용

다발근육염(PM), 피부근육염(DM) 핵심정리

병태생리로 보는 다발근육염(PM), 피부근육염(DM)

다발근육염(PM)이나 피부근육염(DM)은 모두 자가면역이 관여하는 근육염을 주체로 하는 질환이다. 근위근을 중심으로 골격근 염증이 발생되어 근육병증(근력저하, 근육위축)을 초래한다. DM/PM은 근육병증 중에서는 근육퇴행축에서 많이 나타나는데 유전성은 아니며 여성에서 많이 나타난다.

병 인	• 바이러스·세균이나 환경물질에 의한 환경인자 • 세포·체액면역의 이상 • 암 유전자 등의 내재성 유전자와 바이러스의 관여

병 태	• 근육 상해성 T 림프구의 생성 • 근골격근의 염증 • 다른 근육병증과 달리 근육통을 동반하는 것이 특징

증 상	• 근력저하, 근육통, 관절염, 관절통 • 연하곤란 • 발성장애, 호흡곤란 • 피부의 홍반(헬리오트로프 발진) : DM증상 • Gottron syndrome : DM 증상 • 다형 피부 위축증 • 악성 종양 • 레이노 현상

진단 및 검사	• 혈청검사(CK, aldolase, AST 등의 높은 수치) • 소변검사(크레아티닌의 관찰) • 흉부X-선 검사 • 심전도 검사
치료	**일상생활지도** • 고단백, 고칼로리 식사 • 금연, 한랭대책 **약물요법** • 부신피질스테로이드 • 면역억제제

E 혼합결합조직병 Mixed connective tissue isease : MCTD

SLE, SSc, PM/DM 등의 질환에는 진단기준이 있어, 몇 개의 항목을 충족시키는 것으로 진단이 확정된다. 그러나 이 가운데는 "SLE인 것 같지만 진단기준을 만족시키지 못하는" 증례나 "SSc와 DM의 양쪽 모두의 성질을 갖고 있지만, 각각의 진단기준을 만족시키지 못하는" 증례 등이 있다. 이와 같이 SLE, SSc, PM/DM의 진단기준의 몇 개에는 들어맞지만, 각각 완전하게 충족시키지 못하는 것을 MCTD라고 명명하였다(그림 2-36).

이에 비해, "SLE와 SSc 양쪽 모두의 진단기준을 충족시키는 증례"도 존재한다. 1명의 환자가 SLE, SSc, PM/DM 중, 2개 이상의 진단기준을 충족시키는 것을 중복 증후군(overlap syndrome)이라고 한다(그림 2-37).

일반적으로 확정진단된 결합조직질환이 중복되어 있는 병태를 가리키는데, 넓은 의미로는 확정진단의 유무에 상관없이 복수의 결합조직질환의 임상소견을 가지고 있는 병태를 가리키는 경우가 있다. 따라서 MCTD도 중심소견과 항UI-RNP 항체 양성을 특징으로 하는 넓은 의미의 중복 증후군으로 보는 경우가 있다. 일반적으로 단독질환인 경우보다 예후가 나쁘다.

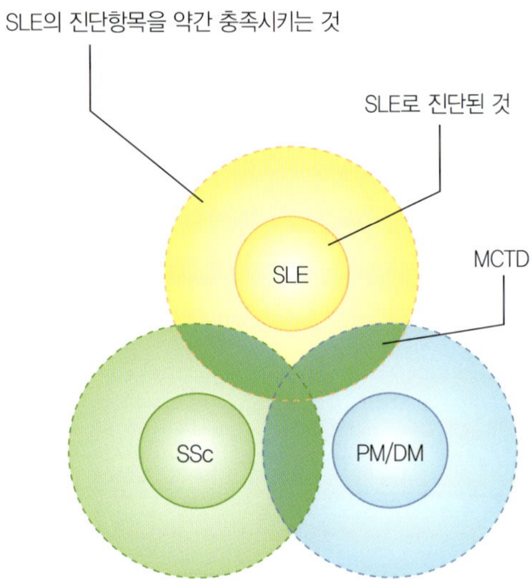

[그림 2-36] MCTD

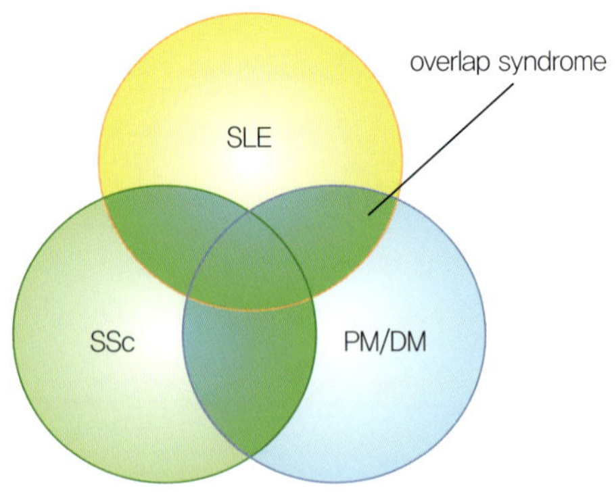

[그림 2-37] 중복 증후군(overlap syndrome)

1. 역학

남녀비는 1 : 11로, 여성에게서 많이 발생한다.

2. 임상증상 (그림 2-38, 39)

특징적이고 중요한 것이 몇 가지 있다.

1) 소시지모양 손가락, Raynaud 현상

양쪽 모두 90% 이상의 환자에게서 볼 수 있는 소견이다. 손등에서부터 손가락에 걸쳐 팽팽하게 부어올라 소시지 같이 보인다. 이 증상은 피부경화증(SSc)에서도 나타나지만, MCTD에서는 부종성 종창인 상태로 더 이상 진행되지 않는 것이 특징이다.

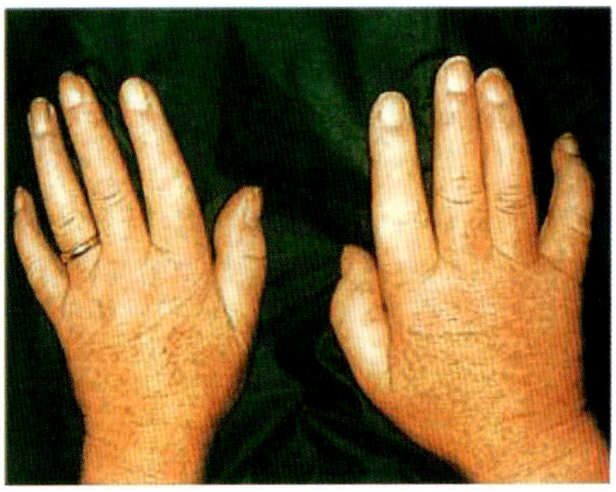

[그림 2-38] 소시지모양 손가락

2) SLE성 소견

다발성 관절염이나 백혈구의 감소, 심장막염 · 흉막염 등의 빈도가 높고, 신장장애나 정신신경증상의 빈도는 낮다.

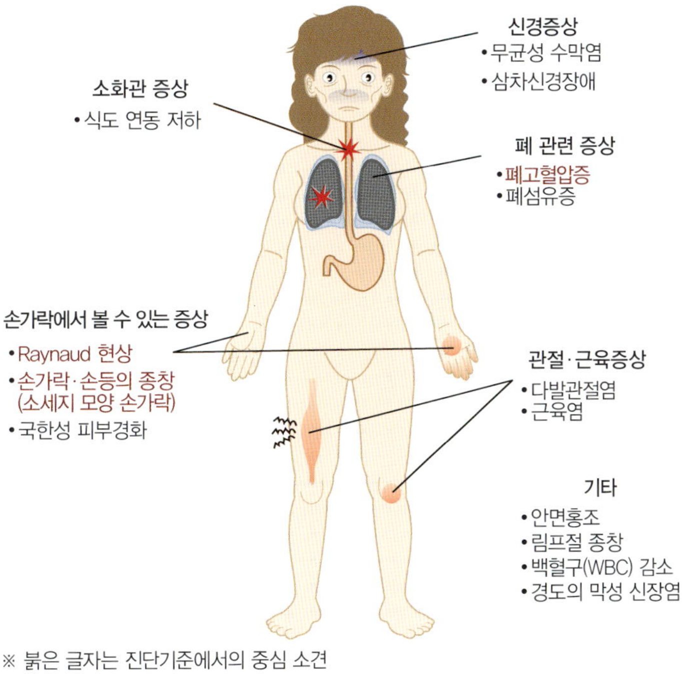

[그림 2-39] MCTD의 증상

3) SSc성 소견

손가락의 경화와 폐섬유증이 있으며, 식도 연동운동 저하가 계속된다. 피부경화는 미만성(diffuse)이 아니라 손가락에 국한되어(limited) 나타난다.

4) PM/DM성 소견

근력저하나 CK의 상승이 나타나지만 발진이 나타나는 빈도는 낮다.

5) 폐고혈압증

MCTD의 약 5~10%에서 동반되며 예후를 크게 좌우한다. SLE나 SSc(특히 limited type)에서도 폐고혈압증을 동반하는 일이 있지만, MCTD쪽에 높은 비율로 동반된다. 운동 시의 호흡곤란을 초기증상으로 해서 점차 진행된다. 심부전/심장기능상실이나 돌연사로 이행된다.

6) 무균성 수막염

약 10%에서 나타난다. NSAIDs(특히 이부프로펜)를 복용하는 MCTD 환자에게서 흔히 볼 수 있다. MCTD에서는 관절염 등에 대해 NSAIDs가 사용되는 기회가 많은데, 그중에서도 이부프로펜은 무균성 수막염을 유발하기 쉽기 때문에 제1선택으로 하면 안 된다. 두통이나 발열이 있는 경우에는 항상 이 질환을 염두에 두어야 한다.

3. 검사소견

항U1-RNP 항체가 강한 양성이 된다.

항Sm 항체/ds-DNA 항체, 항Jo-1 항체, 항Scl-70 항체는 각각 SLE, PM/DM, SSc에 질환특이성이 높기 때문에 감별진단에 유용하다. 항U1-RNP 항체는 MCTD의 100%에서 양성을 나타내는 외에, 피부경화의 약한 염증이 있는 SSc나 비(非)신장증 SLE 등에서도 볼 수 있다. 또, 폐고혈압증을 동반한 MCTD에서는 항cardiolipin IgG 항체가 높은 수치가 된다.

4. 치료 및 간호

대증요법을 중심으로 해서 Raynaud 현상에 대해 말초순환 개선을 한다. 또 관절염에 대해서는 NSAIDs가 적응되지만, 중증인 경우나 근육염을 동반하는 경우에는 소량의 스테로이드가 효과적이다.

MCTD의 예후를 좌우하는 것은 앞에서 설명한 바와 같이 폐고혈압증으로서, 조기진단, 조기치료가 중요하다. 조기에 발견된 증례에서는 스테로이드가 효과적이지만, 기본적으로는 원발성 폐고혈압증의 치료에 준한다.

F Sjögren 증후군 Sjögren syndrome : SjS

Sjögren 증후군은 타액선과 누선을 비롯한 외분비선에 만성 염증을 초래하는 질환이다. 만성적인 염증의 결과, 침과 눈물이 감소되어 건조증상을 호소한다. 이전에는 이 건조증상이 진단에서 중요한 포인트였다.

그러나 최근에는, 병리학적으로 분비선의 염증과 자가항체가 증명되면, 건조의 자각증상 유무는 중요시되지 않고 있다. 반대로, 아무리 건조증상이 심해도 혈청학적 · 병리조직학적으로 이상이 없으면 이 질환이라고 진단할 수 없다.

1. 역학

40～50세 전후의 중년 여성에게서 많이 발생한다. 남녀비는 1 : 9～20이다.

2. 임상증상

외분비선의 염증에 의한 **선증상(건조증상)**과 그 이외의 장기장애에 의한 **선외증상**이 있다.

1) 선증상

① 눈건조증상(Dry eye)

누선/눈물샘의 만성 염증에 의해 발생하는 것으로 눈이 건조해진다. 눈곱이 잘 끼고 눈이 뻑뻑해진다. 건조하기 때문에 각막에 상처가 나기 쉬워진다. 그 결과 안구건조증(dry eye)이 된다.

② 구강건조증상(Dry mouth)

타액이 적어짐으로써 입안이 건조해지고 입안이 건조함으로써 음식을 삼키기 어려워진다. 타액이 적어짐으로써 입안의 자정작용이 저하되기 때문에 충치가 증가한다.

③ 콧속이나 기도점막의 건조

코피가 잘 나고, 기침이나 가래를 뱉어내기 어려워진다.

④ 위액의 분비저하

위액의 분비저하로 인한 위축성 위염, 췌외분비기능장애, 질 분비저하로 인한 성교 시 통증이 있다.

2) 선외증상

① 관절염

일반적인 결합조직 질환과 같이 변형이나 뼈파괴가 없는 관절염이 크고 작은 관절에서 나타난다.

② Raynaud 현상

경도이지만, 약 30%에서 볼 수 있다. SSc와 같이 궤양을 만드는 것은 극히 드물다.

③ 간질폐렴/사이질폐렴

약 30%에서 만성 간질폐렴 · 폐섬유증이 나타난다.

④ 신뇨세관 산증/콩팥요세관성 산증

신장 간질에 염증세포가 침윤함으로써 간질성 신장염/사이질콩팥염이 생긴다. 원위요세관장애에 의해 신뇨세관성 산증(renal tubular acidosis ; RTA)이 생기면 저칼륨혈증(hypokalemia)에 의한 사지마비가 발생하는 경우가 있다.

⑤ 간

만성 간염이나 원발성 담즙성 간경화증(PBC)을 동반하는 경우가 있다.

⑥ 림프절

림프절에서 B세포가 증식하여 림프절의 종창이 나타난다. 종종 악성 림프종이나 고분자글로불린혈증(macroglobulinemia)으로 이행하는 경우도 있다.

⑦ 피부증상

눈꺼풀염, 입술염이나 윤상/고리홍반이 있다.

악성 종양이 약 5%로 동반된다. 그 대부분은 악성 림프종이다.

3. 검사

확정진단을 위해서 실시하는 선증상에 대한 검사와 합병증을 파악하기 위한 선외증상에 대한 검사가 있다.

1) 안과적 검사

① Schirmer 시험 (그림 2-40)

여과지를 아래눈꺼풀에 끼우고 눈물의 분비량을 본다. 5분간에 10mm 이상이면 정상이다.

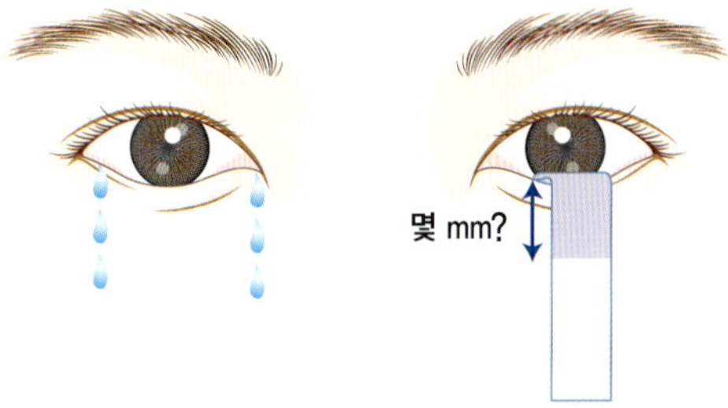

[그림 2-40] Schirmer 시험

② 로즈벵갈 시험(rose bengal test)

로즈벵갈액이라는 붉은 색소를 점안하면 상처가 난 각막의 상태를 알 수 있다. 상처의 고랑에 색소가 모여 붉게 물든다. 형광색소 시험도 같은 원리이다.

③ 누선/눈물샘 생검

2) 구강 검사

① 타액 분비량 측정검사

타액/침의 분비량을 조사하는 것으로 껌 시험과 Saxon 시험이 있다. 껌 시험에서는 10분간 껌을 씹게 해서 분비된 타액의 양이 10mL 이상이면 정상이다. Saxon 시험은 거즈를 2분간 물고 있게 해서 흡수된 타액의 양을 측정하는 검사이다. 껌 시험에 비해 더욱 정확한 타액 분비량을 측정할 수 있다. 타액의 양이 2g 이상이면 정상이다.

② 타액선/침샘 조영법

타액선의 개구부로부터 역행성으로 조영제를 이용해 이하선/귀밑샘의 상황을 조사한다. Apple tree sign이 나타나는데, 작은 점 모양 음영의 직경이 1mm 이하이면 양성소견이다(그림 2-41).

환자는 통증이 심하기 때문에 필요에 따라서 실시한다.

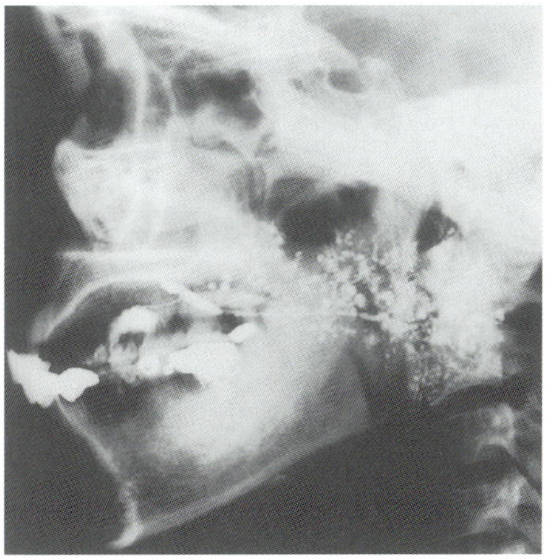

[그림 2-41]Apple tree sign

③ 순선/입술샘(타액선) 생검

분비선의 감소 · 파괴가 나타난다. 도관 주위 $4mm^2$의 림프구 침윤이 50 이상이면 진단을 내릴 수 있다.

3) 혈액 검사

① 가벼운 빈혈, ESR 항진

② **고아밀라제혈증 (hyperamylasemia)**

췌장에서 유래한 것인지 타액(침)에서 유래한 것인지 감별이 필요하다.

③ **자가항체**

높은 비율로 류마티스인자가 보이고 항핵항체의 양성율도 높다.

질환특이적 자가항체는 항SS-A/Ro 항체와 항SS-B/Ro 항체이다. SS-A는 50~70%에서 양성이 되지만 질환특이성이 높지 않고, SS-B는 20~30%밖에 양성이 되지 않지만 오히려 질환특이성이 매우 높다.

④ **γ-글로불린의 고도 증가**

Sjögren 증후군을 보면, 정확한 진단을 위한 검사와 동반되기 쉬운 질환(**SLE, RA, SSc, MCTD, 원발성 담즙성 간경화〈PBC〉, 악성 림프종**)에 대한 검사를 해야 한다.

4. 치료 및 간호

증상이 선증상에만 국한되는 경우에는 대증요법이 기본이다. 스테로이드를 투여해도 이미 외분비선이 파괴되어 있기 때문에 증상 개선은 기대할 수 없다.

눈의 건조에 대해서는 인공눈물의 점안, 누점/눈물점 마개(punctal plug)의 삽입, 안구건조 보호용 안경 등을 사용한다.

구강이 건조한 경우 염산 세비메린을 경구투여하면 타액분비의 촉진에 효과적이다. 그 밖에, 수분 섭취, 인공 타액 등으로 증상을 개선한다.

선외증상이 있는 경우에는 기본적으로 스테로이드가 적응되며, 결합조직 질환을 동반한 경우에는 악성 림프종의 발병에 주의하면서 면역억제제를 사용하기도 한다.

항SS-A/SS-B 항체 양성의 임산부인 경우에는 신생아 완전방실차단이나 신생아 홍반루푸스의 발병에 주의한다.

5. 예후

악성 종양이 동반되지 않으면 예후는 비교적 양호하다.

쇼그렌 증후군 핵심정리

병태생리로 보는 쇼그렌 증후군

쇼그렌(Sjögren) 증후군은 타액선(침샘)과 누선(눈물샘)을 비롯한 외분비선에 만성 염증을 초래하는 질환이다. 40~50세 전후의 중년 여성에게서 많이 발생하며, 남녀비는 1:9~20이다.

병 인	• 외분비선의 염증 • 장기장애
병 태	• 만성적인 염증의 결과, 침과 눈물이 감소되어 건조 증상을 호소 • 타액선과 누선을 비롯한 외분비선에 만성 염증 초래
증 상	**외분비선의 염증에 의한 선증상** • 눈건조 증상 • 구강건조증상 • 콧속이나 기도점막의 건조 • 위액의 분비저하 **그 외 장기장애에 의한 선외증상** • 관절염(류마티스 관절염과는 달리 골 침식은 없다) • Raynaud 현상 • 간질폐렴 • 신뇨세관성 산증 • 만성 간염이나 원발성 담즙성 간경화증 동반 • 림프절 종창 • 악성 종양이 약 5%로 동반됨(대부분 악성 림프종)

진 단 및 검 사	**안과적 검사** • Schirmer 시험 • 로즈벵갈 시험 • 누선/눈물샘 생검 **구강 검사** • 침 분비량 측정검사 • 타액선/침샘 조영법 • 순선/입술샘(타액선) 생검 **혈액 검사** • 가벼운 빈혈, ESR 항진 • 고아밀라제혈증 • 자가항체 : 류마티스인자가 보이고 항핵항체의 양성율도 높다. **γ-글로불린의 고도 증가**

치 료	**증상이 선증상에 국한되는 경우 :** 대증요법이 기본 **선외증상이 있는 경우** • 스테로이드 적응 **결합조직 질환을 동반한 경우** • 면역억제제 사용 **눈의 건조** • 인공눈물 점안 • 눈물점 마개 삽입 • 안구건조 보호용 안경 사용 **구강 건조** • 염산 세비메린 경구투여 • 수분 섭취, 인공 타액 등으로 증상 개선

G 혈관염 총론

1 개념

혈관염(vasculitis)이라는 말에서 여러분은 무엇을 연상하는가?

혈관에 일어나는 병에는 동맥경화(artherosclerosis)나 대동맥해리(aortic dissection)가 있다. 특히 동맥경화증에 대해서는 심근경색이나 뇌허혈성 질환을 공부할 때에 설명했으므로 이미 알고 있을 것이다. 동맥경화증으로 인해 최종적으로 문제가 되는 것은 혈관의 협착이나 폐쇄에 의한 말초 장기의 허혈이다. 그것이 심근경색이 되거나 뇌경색이 되기도 한다. 사실 혈관염은 혈관이 협착, 폐쇄된다는 점에서 동맥경화와 약간 비슷하다. 그 때문에 혈관염의 임상증상 중 몇 가지는 동맥경화증에 의해서 발생하는 증상과 상당히 중복된다.

혈관염은 혈관의 염증과 손상을 특징으로 하는 임상적 병리과정이다. 이는 혈관 내강의 이상을 초래하며, 침범된 혈관이 공급하는 조직에 허혈을 일으킨다.

혈관염은 다양한 종류, 크기, 위치의 혈관을 침범하므로, 광범위하고 다양한 증후군이 발생한다.

또한, 혈관염을 초래하는 질환에서는 질환마다 침범되는 동맥이 대개 정해져 있다. 따라서 질환마다 「어느 동맥이 침범당하는가 = 어느 장기가 침범당하는가」라는 점을 파악해 두는 것이 중요하다.

다음으로, 혈관염에서는 드물게 병리조직이 문제가 되는 경우가 있다. 질환마다 병리조직에 특징적인 차이가 있다. 병리소견의 요점을 파악해 두자.

1. 혈관염을 초래하는 질환

① 결절다발동맥염(polyarteritis nodosa : PN)
② 알레르기성 육아종성 혈관염(allergic granulomatous angitis : AGA)
　별칭 : Churg-Strauss 증후군
③ Wegener 육아종증(Wegener's granulomatosis : WG)
④ 과민성 혈관염(hypersensitivity vasculitis)
⑤ Henoch-Schönlein 자색반(Henoch-Schönlein purpura : HSP)
⑥ 관자동맥염(temporal arteritis : TA) 별칭 : 거대세포동맥염(giant cell arteritis : GCA)
⑦ 대동맥염 증후군(aortitis syndrome) 별칭 : 타카야스동맥염(Takayasu arteritis), 무맥병
⑧ 가와사키병(Kawasaki disease) 별칭 : 소아 급성열성 피부점막 림프절 증후군
⑨ Behcet병(Behcet's disease)
⑩ Buerger병(Buerger's disease)

* 한글이름과 영어이름을 모두 알아두자

이러한 질환명은 모두 중요하며 별칭 또한 중요하다. 질환명이 많아서 힘들겠지만, 우선 명칭부터 확실하게 알아두기 바란다.

이 중에서 대표가 되는 것이 결절다발동맥염(PN)이다. PN의 의형제에 해당하는 것이 ②~⑦의 질환이다. 보통, 결합조직 질환의 혈관염이라고 하면, ①~⑦까지를 가리킨다. 그렇다면 가와사키병, Behcet병, Buerger병은 어떠한 취급을 받고 있는가? 그들은 PN의 친척과 같다**(그림 2-42)**. 이들은 모두 혈관염 증후군(vasculitis syndrome)으로 취급한다.

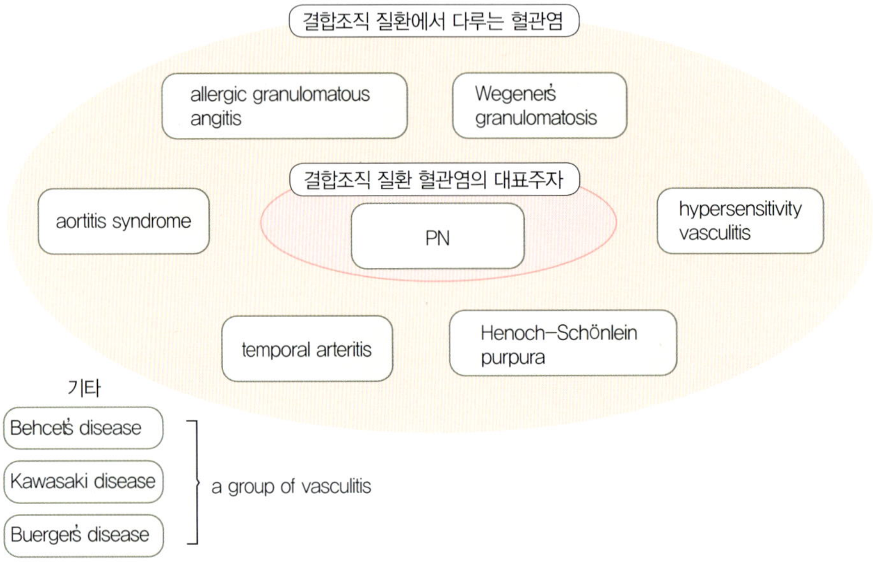

[그림 2-42] **혈관염 증후군**

2. 혈관염이 의심되는 경우

물론 예외는 있지만, 대부분의 혈관염에는 특유의 임상증상이나 검사소견이 없다. 그 때문에 아래와 같은 증상이나 검사소견이 있을 때에는 혹시 혈관염이 아닌가 하고 의심해 보는 것이 매우 중요하다.

처음부터 혈관염을 의심하는 경우는 적기 때문에, 병이 진행되고 나서 진단이 내려지는 경우가 많아, 혈관염의 예후를 악화시키는 원인의 하나로 생각되고 있다.

1) 혈관염이 의심되는 임상증상

① 체중감소를 동반한 원인불명의 발열

전염성 질환, 악성 종양, 결합조직 질환 등이 의심되는 소견이다.

② 급성 복증

혈관염이 장간막동맥까지 퍼지면 장간막 동맥이 폐쇄되어 급성 복증, 하혈이 나타나는 경우가 있다.

③ 다발성단일신경염(다발홑신경염)

2종류 이상의 신경이 동시에 또는 시간의 흐름에 따라 장애를 받는다. 신경에 영양을 공급하는 혈관이 손상당하기 때문에 발생한다.

④ 위험인자가 없는 심근경색

동맥경화에 의한 심근경색이 아니고 혈관염에 의한 심근경색이다.

⑤ 피부 궤양, 자색반

혈관염에 의해 말초에 순환부전이 생기면 피부 궤양이 되고, 말초의 혈관이 파괴되면 그곳에서 적혈구가 새어나와 자색반이 된다.

⑥ 급격하게 진행되는 고혈압을 동반한 신부전

고혈압은 신장동맥의 협착에 의해서 발생한다. 급격하게 진행되어 신부전에 이른다.

플러스 코너

7. 혈관염 증후군의 분류

주된 장애부위	질환
대혈관	• 측두동맥염(TA) • 대동맥염 증후군(타카야스병)
중혈관	• 결절성 다발동맥염(PN) • 가와사키병 • 폐쇄혈전혈관염(Buerger병)
세·소·모세혈관·세정맥	• 현미경적 다발혈관염(MPA) • 알레르기성 육아종성 혈관염(AGA) [Churg–Strauss 증후군] • Wegener 육아종증(WG) • 악성 류마티스관절염(MRA) • Schönlein–Henoch 자반병 • 특발성 한랭글로불린혈증

※ 이외에도 Behçet병을 추가한 분류 등도 제창되고 있다.

⑦ **심장막염, 흉막염**

⑧ **간질폐렴, 폐고혈압증**

⑨ **근육통**

2) 혈관염이 의심되는 검사소견

① **혈소판 증가**

혈관염에서는 혈소판이 증가하는 경우가 많다(p.11).

② **호산구 증가**

다음과 같은 혈관염에서는 호산구가 증가한다.

- PN
- 알레르기성 육아종성 혈관염(AGA)
- Wegener 육아종증(WG)

3. 장애받는 혈관의 굵기

각 질환에서 침범당하는 혈관의 굵기는 대개 정해져 있다. 보통, 중추로부터 말초로 가면서 혈관은 가늘어진다.

4. 혈관염의 병리

포인트는 염증 부위에「육아종이 형성되는가의 여부」,「육아종 안에 거대세포가 보이는가의 여부」이다.

그 전에, 먼저 혈관염의 기본인 PN에 대해서 설명하겠다. PN의 병리의 특징은 괴사혈관염(necrotizing vasculitis)이다. 괴사혈관염이란 섬유소성(fibrinoid) 변성, 괴사를 동반하며 같은 장소에서 세포침윤이 보이는 혈관염이다.

거대세포에 대해 살펴보면, TA(관자동맥염)에서는 많은 거대세포가 보인다. TA의 별칭은 거대세포동맥염(GCA)이다. 대동맥염 증후군도 약간이지만 거대세포를 가지고 있다.

다음으로 육아종에 대해서 살펴보자. 병의 이름에 육아종이 붙은 것은 당연히 육아종을 만들며, 거대세포가 보이는 것은 반드시 육아종을 형성한다. 이와 같이 생각하면 간단하게 기억할 수 있다.

거대세포의 유무, 육아종의 유무가 혈관염의 병리로서는 충분하지만, 여유가 있는 사람은 과민성 혈관염과 HSP에 특징적인 병리소견을 기억하면 좋을 것이다. 그것은, 백혈구파괴혈관염(leukocytoclastic vasculitis)이다. 호중구의 핵이 가루가 되어 염증상 속에 여기저기 박혀 있는 병리소견이다.

이상을 표로 정리해 보았다(표 2-11).

	PN	AGA	WG	과민혈관염	HSP	TA	대동맥염 증후군
괴사혈관염	○	○	○				
육아종		○	○			○	○
거대세포						○ (많다)	○ (적다)
백혈구파괴혈관염 (leukocytoclastic vasculitis)	△	△	△	○	○		

※ △=보이는 경우도 있다.

[표 2-11] 혈관염의 병리

TIP

거대세포성 동맥염 = 관자동맥염 + 대동맥염 증후군이라고 정의하는 사람도 있지만

거대세포동맥염 = 관자동맥염

타카야스동맥염 = 대동맥염 증후군

이라고 기억해 두면 편리하다.

H 혈관염 각론

혈관염 각론에서는 우선 PN에 대해 좀 더 자세하게 설명하고, 그 외의 다른 혈관염에 대해서는 각각의 특징적인 사항에 대해서 설명하겠다.

1 결절다발동맥염 Polyarteritis nodosa : PN

혈관염을 공부하기 전에 우선 PN(고전적)을 이해하는 것이 좋다.

1. 역학

50~60대에 많이 발생하며, 남녀의 발생률은 1 : 1.1로서 차이가 거의 없다.

2. 병태생리

PN의 원인은 명확하지 않다**(그림 2-43)**. III형 알레르기의 관여가 시사되어 왔지만, 구체적인 항원에 관해서는 아직 명확하지 않다.

약제(페니실린계나 설파제), 전염성 질환(특히 B형 간염바이러스), 악성 종양(유모세포성 백혈병〈hair cell leukemia〉 등)이 추정되고 있다. 이들에 의한 면역복합체가 혈관내피에 침착해 보체의 활성화와 함께 혈관염이 발생한다고 생각된다. 소~중 동맥의 근육성동맥 괴사혈관염으로, 심장 · 신장 · 피부 · 눈 · 중추신경 등 전신의 장기를 침범한다.

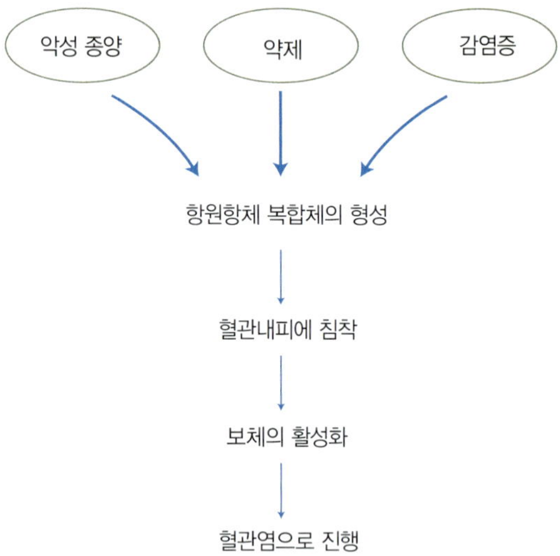

[그림 2-43] PN의 원인

3. 병리조직학적 소견

PN는 생검~병리학적 검사에서 괴사혈관염을 찾아냄으로써 확정진단한다. 병리조직학적 소견의 특징은 다음과 같다.

① 소~중형 혈관의 침범
② 혈관벽 전층에 걸쳐 섬유소성(fibrinoid) 변성과 괴사가 발생
③ 혈관 주위의 조밀한 세포침윤
④ 새로운 염증과 오래된 염증의 혼재

혈관염이 생기면 표적이 된 혈관은 파괴된다. 염증은 진정되어 조직구나 대식세포, 거대세포 등에 의해 흉터로 남는다. 또한 복구 조직이 수축되어 혈관내강이 협착 · 폐쇄된다. 또는 그 이전에 혈전으로 인해 혈관이 폐쇄되는 경우도 있다.

혈관이 파괴되면 조직에 출혈이 일어나거나 혈관벽이 얇아져 동맥류(aneurysm)가 생기기도 하는데, 이것을 시계열(time series)로 표현하면 다음과 같다.

- I기(변성기) : 동맥벽 중막의 부종과 변성
- II기(급성 염증기) : 호중구의 침윤, 섬유소 삼출
- III기(육아기 · 복구기 · 증식기) : 흉터 · 육아종의 생성과 내막의 증식에 의한 혈관내강의 협착과 폐쇄
- IV기(반흔기) : 섬유화된 수축 조직에 의한 혈관내강의 협착, 동맥류의 생성

4. 임상증상 (그림 2-44)

1) 비특이적 증상

전신피로감, 체중감소, 관절통, 근육통, 고열 등이 초기증상이 된다.

2) 말초신경

말초신경장애, 특히 다발홑신경염(mononeuritis multiplex)이 생긴다. 신경과 나란히 분포되어 있는 동맥에 염증이 생기기 때문에 발생한다. 구체적으로는 저림이나 마비 형태로 나타난다.

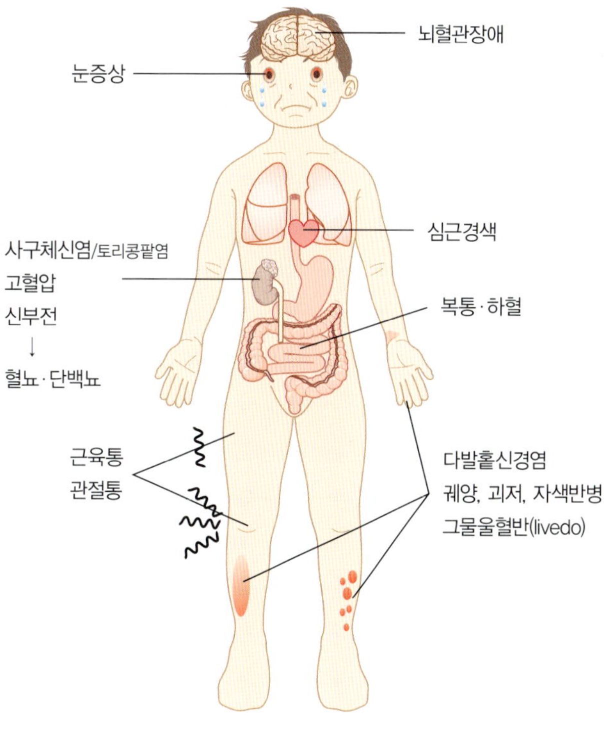

[그림 2-44] PN에서 침범당하는 부위

2영역 이상(예를 들면 오른쪽의 종아리와 왼쪽의 아래팔 등)의 신경장애는 다발동맥염을 시사한다.

3) 중추신경

뇌신경장애가 일어나는데, 폐쇄가 일어나면 뇌경색증, 출혈이 일어나면 뇌출혈이 발생한다. 그 결과로서 반신불수나 뇌줄기장애, 눈장애가 발생한다.

4) 순환기

빈맥, 부정맥 등으로 시작되어, 심장동맥에 염증이 미치면 심근경색이 일어난다. 그리고 이것이 진행되면 심장기능상실(심부전)에 빠지게 된다. 동맥염으로 인한 심근경색은 흡연이나 진성 당뇨병 · 고지(질)혈증 등의 위험 요인이 없음에도 불구하고 일어난다.

TIP

PN에서 침범되는 혈관은 중간 크기의 근육형 동맥이며, 폐동맥은 장애를 받지 않는다는 것이 기본이다. 그러나 미세혈관이나 폐혈관에 장애를 주는 PN이 존재한다. 이와 같은 PN을 overlap angitis 또는 angitis overlap syndrome이라고 한다.

5) 소화기관

급성 복증의 원인이 된다. 장간막동맥에 염증이 미치면 지배 영역의 장관에 허혈이 생겨, 허혈성 창자염을 초래한다. 경증에서는 흡수장애, 중증에서는 장관괴사나 허혈이 나타난다.

6) 눈증상

안저출혈, 시신경위축, 유두부종, 결막염, 포도막염, 공막염 등 매우 다양한 소견이 나타난다.

7) 신장

PN에서 생명 예후를 결정짓는 것은 신장증상이다. 신장의 동맥에 염증이 생기면 사구체신염/토리콩팥염 또는 고혈압을 초래한다. 혈뇨 · 단백뇨가 보인다. 또한 진행이 급속한 경우, 신증후군의 단계를 거치지 않고 신부전에 빠지는 경우가 많다.

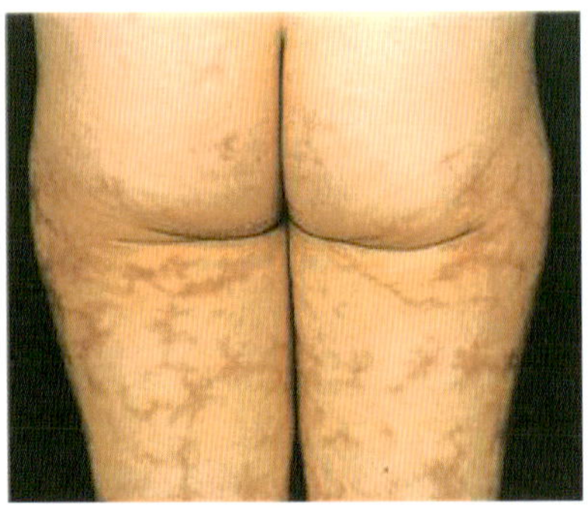

[그림 2-45] 그물울혈반(livedo)

8) 피부

피부증상으로는 순환 불량을 나타내는 그물울혈반(livedo, 그림 2-45), 홍반, 출혈에 의한 자색반 등이 경과 중에 나타난다. 새로운 염증이 일어나고 있는 부위에는 통증을 동반하는 피내~피하결절, 동맥 폐쇄에 의한 허혈로 발생하는 피부궤양 · 괴저 등을 볼 수 있다.

9) 폐

침범되는 경우가 다른 장기만큼 많지는 않다. 흉막염, 간질폐렴, 심외막염이나 폐고혈압증 등이 발생할 수 있다.

5. 검사소견

1) 염증소견

백혈구 수 증가(특히 호산구 증가), ESR 항진, CRP 상승, 혈소판 수 증가가 나타난다.

2) 빈혈

정적혈구성 정색소성 빈혈(normocytic normochromic anemia)이 나타난다.

3) 항핵항체

다른 결합조직 질환과 달리 항핵항체는 음성이며, 또한 특이적인 항체도 없다. 류마티스인자도 일정한 경향은 없다.

4) 소변

신장염이 있으면 혈뇨, 단백뇨, 혈중 크레아티닌과 요소질소의 상승이 나타난다.

6. 진단기준

진단에 관해서 간단히 언급하겠다. 진단은 생검과 조영으로 확정한다. 혈관염이 있을 것 같은 혈관(피하결절, 자반점 부근의 혈관)을 생검하는 것인데, 그와 같은 혈관이 발견되지 않는 경우나, 생검해도 혈관염이 발견되지 않는 경우에는, 복강동맥 조영을 실시한다. 다발성 동맥류가 발견되면 확정진단이 된다.

7. 치료 및 간호

전신의 동맥이 침범되기 때문에, 다장기 부전이 일어나는 것을 억제하기 위해서 강력한 항염증치료가 필요하다.

1) 부신피질스테로이드제

보통, 체중 1kg당 프레드니솔론 환산으로, 1mg/day, 50~60mg/day 정도의 비교적 대량을 적용한다. 급속히 진행되는 경우에는 **스테로이드 펄스요법**을 실시한다.

2) 면역억제제

부신피질스테로이드제에 병용하는 형태로 투여한다. 스테로이드 저항 증례 등에 azathioprine, cyclophosphamide 등을 사용한다.

3) 혈관확장제

고혈압에 대해서 사용하지만, 특히 증상이 피부에 국한되어 있는 경우에는 순환개선의 목적으로 사용한다.

8. 예후

가장 많은 사망원인은 신부전이다.

일반적으로 다른 결합조직 질환에 비해 PN의 예후는 불량한데, 그 이유로 다음과 같은 것들을 들 수 있다.

- 혈관염이 중요 장기에 손상을 준다.
- 특징적인 소견이 부족하기 때문에 진단이 늦어진다.

결절다발동맥염 핵심정리

병태생리로 보는 결절다발동맥염

혈관염은 혈관의 염증과 손상을 특징으로 하는 임상적 병리과정이다. 결절다발동맥염은 혈관염 증후군의 한 가지로, 결합조직 질환 혈관염의 대표적 질환이다. 원인은 명확하지 않다. III형 알레르기의 관여가 시사되어 왔지만 구체적인 항원에 관해서는 아직 명확하지 않다.

병 인	• 50~60대에 많이 발생하며 남녀 발생비율은 거의 비슷하다. • 원인은 명확하지 않음 • 악성 종양(유모세포성 백혈병 등), 약제(페니실린계, 설파제), 감염증(특히 B형 간염 바이러스) : 항원 복합체를 형성하여 혈관 내피에 침착한 후 혈관염으로 진행함

병 태	• 괴사 혈관염 • 소, 중형 혈관의 침범 • 혈관벽 전층에 걸쳐 섬유소성 변성과 괴사가 발생 • 혈관 주위의 조밀한 세포 침윤 • 새로운 염증과 오래된 염증의 혼재

증 상	**비특이적 증상** • 전신 피로, 체중감소, 관절통, 근육통, 고열, 근력저하 **말초신경** • 다발홑신경염(손발 저림, 마비) **중추신경의 뇌신경장애** • 뇌경색증(폐쇄), 뇌출혈(출혈) • 반신불수, 뇌줄기 장애, 눈 장애

증 상	**순환기** • 빈맥, 부정맥, 심근경색 **소화기** • 급성 복증, 허혈성 대장염 **신장** • 사구체신염, 고혈압, 혈뇨, 단백뇨 **피부** • 그물울혈반, 홍반, 출혈에 의한 자색반

진 단 및 검 사	**진단** • 염증소견(백혈구 수 증가 ESR 항진 등) • 빈혈(정적혈구성 정색소성 빈혈) • 항핵항체 • 소변(혈뇨, 단백뇨 등) **검사** • 혈관 조영검사

치 료	**항염증 치료** • 부신피질스테로이드제 • 면역억제제 • 혈관확장제

2 현미경적 다발혈관염 Microscopic polyangiitis : MPA

앞에서 설명한 PN은 자가항체가 음성인 고전적인 질환이다. 그러나 최근, PN 중에서 자가항체가 양성인 것을 별도로 분류하게 되었다. 자가항체는 ANCA라고 하여 항호중구세포질 항체(anti-neutrophil cytoplasmic antibody)의 약자이다. ANCA가 음성인 PN에서는 다양한 임상증상과 괴사혈관염을 나타낸다.

한편, 병리조직학적으로는 괴사혈관염이 있음에도 불구하고, 임상증상이 PN과 약간 다른 증례에서는 ANCA가 양성이 된다. 이와 같은 이유에서 ANCA가 양성인 괴사혈관염을 현미경적 PN이라고 분류하기로 한 것이다.

ANCA는 호중구의 세포질에 대한 항체이지 항핵항체는 아니다. 항핵항체가 형광법에 의해 여러 가지 형태로 물이 드는 것처럼, ANCA도 형광법에 의해 2가지로 물이 든다. 한 가지는 세포질이 미만성으로 물드는 C-ANCA(cytoplasmic anti-neutrophil cytoplasmic antibody)이다(그림 2-46, 47).

이 표적항원은 호중구 아주르(azur) 과립 중의 단백분해효소(protease)3 (PR-3)로 불리는 serine protease이다. 이것을 PR-3 ANCA라고 한다.

또 하나는 핵의 주변부가 물드는 P-ANCA(peri-nuclear ANCA)이다(그림 2-46, 47).

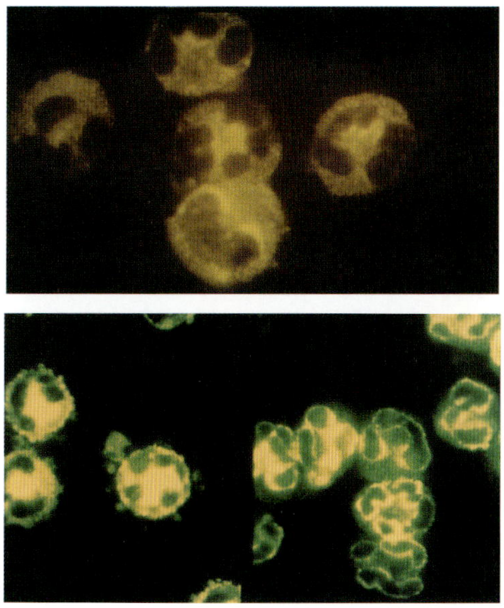

[그림 2-46] C-ANCA(위)와 P-ANCA(아래)

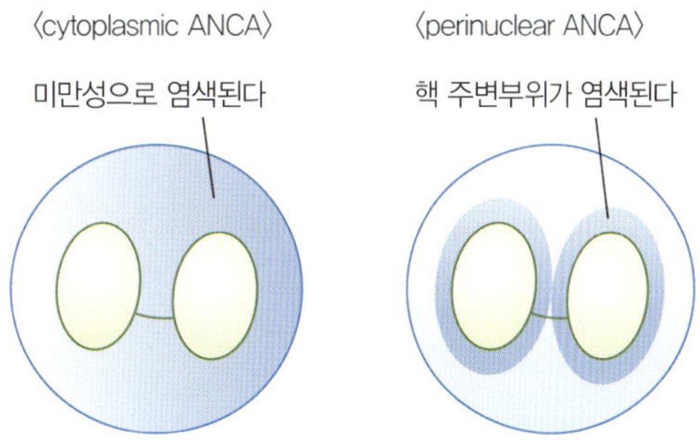

[그림 2-47] ANCA 염색

표적항원에서 최초로 확인된 것은 myeloperoxidase(MPO)로서, MPO-ANCA라고 불린다. 현재는 ANCA의 표적항원이 10종류 이상 확인되어 있다. 이 2종류에 대응하는 질환을 확인해 두자.

- **PR-3 ANCA 관련 질환(C-ANCA)**
  Wegener 육아종증
- **MPO-ANCA 관련 질환(P-ANCA)**
  현미경적 PN
  알레르기성 육아종성 혈관염
  (Churg- Strauss 증후군)
  반달체형성성 신장염
  Goodpasture 증후군
  (간질폐렴으로 폐포 출혈을 동반하는 것)
  (propylthiouracil 장기투여 후의 혈관염)

* P-ANCA는 폐와 신장이 침범당하기 쉽다.

1. 역학

모든 연령층에서 발병할 수 있지만 주로 50～70세에서 많이 발생한다.

2. 임상증상 (그림 2-48)

MPA는 소동맥을 침범하는데, 전신에 혈관염이 생기는 전신형, 신장 · 폐에 혈관염이 생기는 신장 · 폐형, 신장에만 국한되는 신장형이 있다. 각각 PN의 증상이 나타난다.

이 질환에서는 세동맥, 모세혈관 등의 혈관이 침범되기 때문에 폐장애가 발생하는 것이 특징적이다. 신장과 폐의 증상이 강하다(표 2-12).

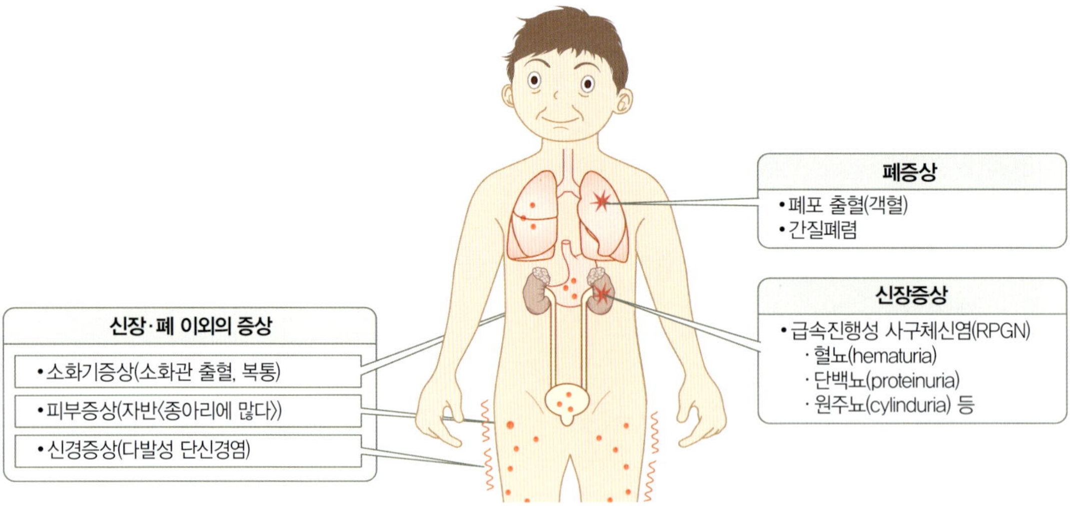

[그림 2-48] MPA의 증상

	소견	고전적 PN	현미경적 PN
병 리	혈관염 유형 침범 혈관의 크기	괴사동맥염 중·소 근육형 동맥	괴사동맥염 leukocytoclastic vasculitis 모세혈관, 미세동정맥
임 상	급성 진행성 신장염 고혈압 폐출혈 간질폐렴 말초신경염 재발 MPO-ANCA 동맥조영의 이상 (다발 소동맥류, 협착)	드물다 많다 드물다 드물다 적다 드물다 (-) 있다	많다 적다 많다 있다 많다 있다 (+) 없다

[표 2-12] 고전적 PN과 현미경적 PN

3. 검사소견

PN에서 나타나는 것 외에 MPO-ANCA가 50~80%로 양성이 된다. 또, 류마티스인자나 항핵항체 양성률도 PN에 비해 높게 나타난다.

신장생검에서는 토리에서 반달체 형성을 동반하는 괴사성 급속진행성 사구체신염(RPGN) 소견이 나타난다.

4. 치료 및 간호

전신성으로 증상이 나타나는 중증의 예에서는 대량의 프레드니솔론(1mg/kg/일)의 경구요법 외에 면역억제제(시클로포스파미드, 아자티오프린)의 병용을 실시한다. 신장 등에 국한된 경도~중등도 질환에서는 프레드니솔론의 경구 투여가 원칙이다.

① 중증례(전신형) : 프레드니솔론(1mg/kg/일) 외에 시클로포스파미드나 아자티오프린을 투여한다.

② 경증례(신장 국한형) : 프레드니솔론을 중등량으로 투여한다. 경우에 따라 면역억제제나 항응고제 등을 투여하기도 한다

플 러 스 코너

8. PN과 MPA의 감별

PN(결절성 다발동맥염)과 MPA(현미경적 다발혈관염)는 병태 · 병변부위가 다르므로 다른 질환으로 다루어지지만, 임상증상은 유사한 경과를 거친다. 따라서 이 두 질환을 감별하기 위해서는 장기증상이나 검사소견 등의 세밀한 차이를 이해해야 한다.

◎: 흔히 나타난다 ▲: 나타나는 경우가 있다
●: 나타난다 ×: 거의 나타나지 않는다

	PN	MPA
RPGN	×	◎
고혈압	◎	×
폐출혈	×	◎
간질폐렴	×	●
재발	×	●
P-ANCA	▲	● *
진단	동맥조영 또는 생검 (단, 확정진단은 생검)	생검

* P-ANCA가 약 60% 양성인 데 비해, C-ANCA도 40% 정도 양성이 된다.

※ MPA에서는 현미경이 아니면 병변을 확인할 수 없다.

3 알레르기성 육아종성 혈관염

Allergic granulomatous angiitis : AGA / Churg-Strauss 증후군

소동맥이나 미세혈관의 혈관벽 내 또는 그 주위에 육아종이 형성되는 전신성 괴사혈관염으로 표적장기는 주로 폐이다. 기관지천식 증상 외에 다발성 폐침윤 음영이 보인다.

괴사혈관염과 육아종이 생기지만, 이 육아종은 혈관염이 발생한 후에만 생기는 것이 아니고 혈관 밖에도 생긴다. 조직학적으로 현저한 호산구 침윤이 동반되는 점이 특징인데, 병리소견이 나타나지 않는 것은 Churg-Strauss 증후군이라고도 한다.

1. 역학

남녀의 발생률은 1 : 1.1로 차이가 없으며, 남성은 40~50대, 여성은 30~60대로 약간 젊은 층에서 발생한다. ANCA의 관여와 함께 III형 알레르기도 관여한다고 알려져 있다.

2. 임상증상 (그림 2-49)

1) 기관지천식

천식이 선행한다. 이 천식은 치료 저항성이다. 알레르기코염 증상을 나타내는 경우도 있다.

2) 말초신경염

다발성단일신경염(mononeuritis multiplex, 구체적으로는 저림)이 나타나는데 이는 두 번째로 흔한 증상이다.

3) 근력저하 · 근육통

신경염에 의해 발생한다.

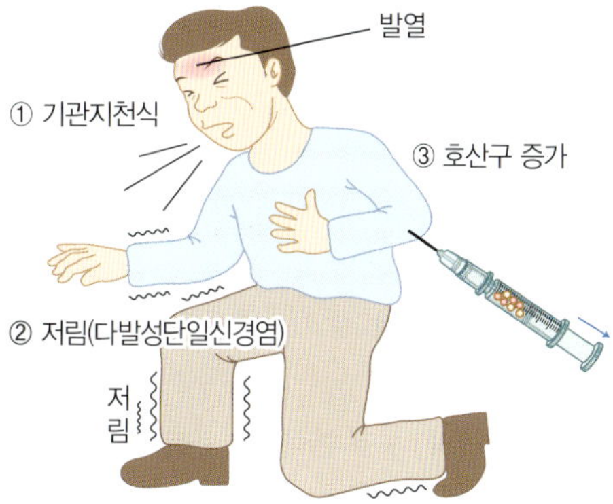

[그림 2-49] AGA의 특징

4) 기타

전신피로감, 발열, 관절통, 체중감소는 다른 혈관염과 같다.

3. 검사소견

1) 호산구 · IgE 수 증가

천식에 걸린 후 어느 정도 기간이 지나면 말초혈액 호산구가 현저하게 증가한다.

2) 흉부 X-선

폐에 침윤 음영, 이상 음영이 보인다.

3) 기타

백혈구 증가, ESR 항진, CRP 상승 등이 나타난다. AGA에서는 앞에서 설명한 P-ANCA가 양성이 된다.

4. 치료 및 간호

다른 혈관염에 준해서 부신피질스테로이드제가 적응된다. 치료저항 증례에서는 면역억제제가 병용된다. 그러나 스테로이드에 대한 반응은 비교적 양호해서 대량으로 사용하지 않아도 조절이 가능해지는 경우가 많다. 다발성단일신경염은 장기간 치료를 요하는 경우가 많기 때문에 재활요법(rehabilitation)도 중요하다.

플 러 스 코너

9. AGA와 Churg-Strauss 증후군

Churg-Strauss 증후군이란 Churg와 St-rauss가 1951년에 고전적인 결절성 다발동맥염(PN)에서 분리 · 독립시킨 ❶ 기관지천식, ❷ 호산구 증가증, ❸ 혈관염에 의한 증상을 나타내는 질환군으로 현재는 오른쪽과 같이 구분한다.

알레르기성 육아종성혈관염(AGA)	Churg-Strauss 증후군
❶, ❷, ❸ 가운데 한 가지 이상의 증상과 함께 전형적인 병리소견을 나타낸다.	병리소견이 나타나지 않거나 확인되지 않지만 전형적 임상경과(❶, ❷가 선행한 후의 ❸)를 나타낸다.

4 Wegener 육아종증 Wegener's granulomatosis : WG

혈관염+육아종이 중심이 되는 병변이다. AGA와의 차이는 **고혈압이 나타나는 것**, 호산구가 증가되지 않는 것 등이다. 손상되는 장기는 상기도(비강/코안, 부비강/코곁동굴)에서 하기도(폐) 및 신장이다. 이들이 증상의 3징후이다.

1. 역학

남녀 발생비는 1 : 1.2이고, 남성은 30~60대, 여성은 50~60대에서 많이 발생하여 남성의 발생 연령이 여성보다 어리다.

2. 임상증상 (그림 2-50)

1) 상기도증상

농성 콧물, 코막힘, 코출혈이 선행하며, 진행되면 비중격 천공이나 안장코(saddle nose, 그림 2-51) 등이 나타난다. 특히 코출혈은 90% 이상에서 나타난다.

2) 하기도증상

기침, 혈담, 호흡곤란이나 흉통이 약 80%에서 나타난다.

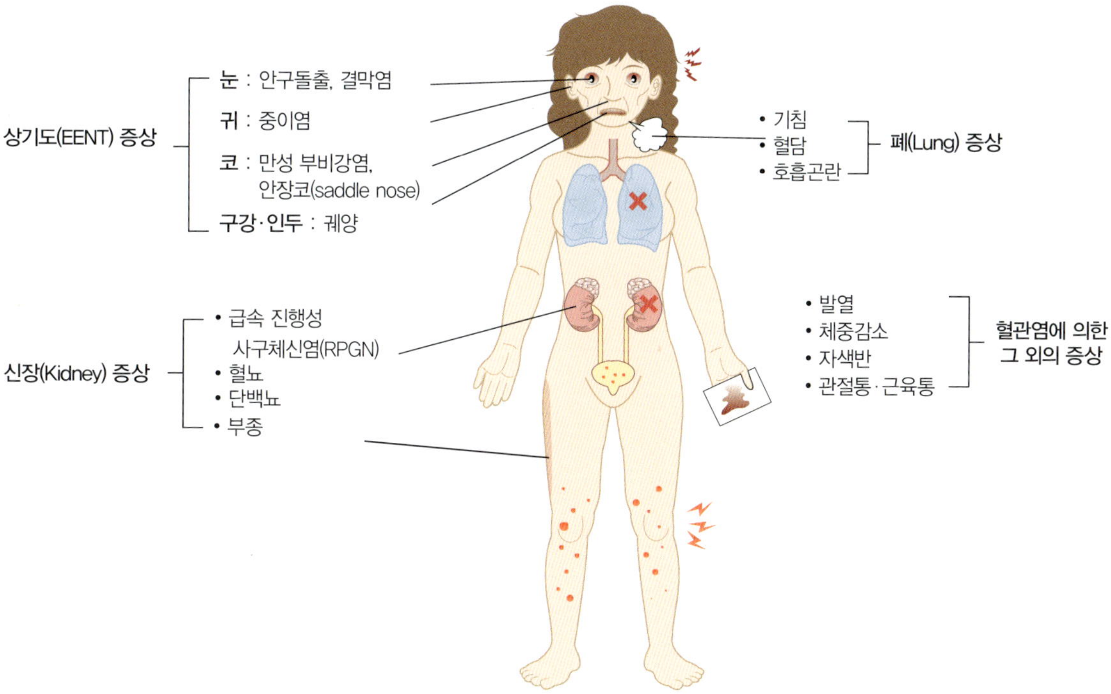

[그림 2-50] WG의 증상

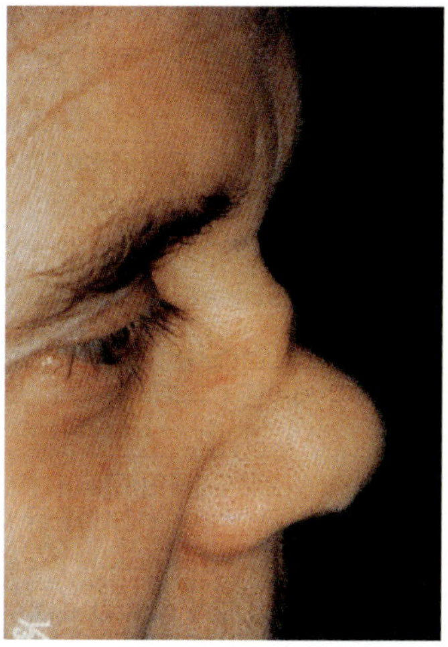

[그림 2-51] Saddle nose

3) 신장증상

국소조각 **사구체신염**으로 시작되는 급속 진행성 사구체신염으로, 반월체 형성을 동반하며 **급성 진행성 신부전**이 된다. 혈뇨, 단백뇨를 동반한다.

4) 피부증상

괴사혈관염이나 육아종성 혈관염을 반영하는 피부소견(구진, 작은결절, 자색반, 피하출혈, 수포, 혈포, 궤양 등)이 나타난다.

3. 검사소견

일반적으로 혈액소견은 MPA와 같다. 약 80%에서 PR-3 ANCA(C-ANCA)가 양성이 된다. 또, 흉부 X-선에서 침윤음영, 결절, 공동 등이 나타난다. 임상양상이 합당한 환자의 조직검사에서 괴사성 육아종성 혈관염 소견이 있으면 Wegener 육아종증이라고 진단한다.

4. 치료 및 간호

이전에는 생명예후가 나쁜 질환이었지만, 부신피질스테로이드제와 면역억제제(cyclophosph-amide)로 크게 개선되었다. 병의 초기부터 이 두 가지의 대량 병용요법이 효과를 나타내지만, 진행되는 예에서는 저항성이 있다. 또, ANCA를 제거할 목적으로 급성기 · 조기의 증례에서 혈장교환요법이 시행되기도 한다.

5 과민성 혈관염 Hypersensitivity vasculitis

보통, 약제나 바이러스 감염이 원인으로 발생하는 혈관염이다. 결합조직 질환과는 다르지만, 그 병태생리를 이해해 두지 않으면 안 된다.

침범되는 혈관은 피부 표면의 미세혈관이다. 증상은 피부에 국한되며, 장기장애는 거의 없다. 예후는 매우 좋지만 반복되는 경우가 있다.

1. 원인

원인으로는 약제나 바이러스 전염성 질환 등이 가장 많다. 원인약제의 투여를 시작하고 1~2주일 지나서 다리를 중심으로 자색반이 나타나는데, 성별, 연령을 불문하고 나타난다.

2. 병리조직학적 소견

피부의 미세혈관에 생기는 혈관염이다. 백혈구파괴혈관염(leukocytoclastic vasculitis)이라고 불리는 혈관염의 소견이다.

특징은 다음과 같다.

① 미세혈관벽의 파괴와 출혈
② 백혈구핵의 파괴성분(leukocytoclast)이 파괴조직의 주위에 흩어져 박혀 있다.

③ 림프구 등의 혈관 주위의 세포침윤
④ 혈관의 섬유소성 변성이다.

Henoch–Schönlein 자색반에서도 같은 소견을 얻을 수 있다.

3. 임상증상

증상은 피부에 국한된다. 종아리를 중심으로 자색반이 많이 발생한다. 몸통에는 생겨도 많지 않으며, 거의 다리와 팔에 생긴다. 개개의 자색반은 쌀 반알 정도의 크기이며, 만지면 약간 단단하고(침윤이라고 한다), 약간 볼록하게 올라온 것도 있다.

4. 치료 및 간호

원인을 배제하고, 국소의 안정을 유지하면 수주 일 후에 증상이 호전된다.

강력한 복약 치료는 필요하지 않은 경우가 많고, 오히려 다른 혈관염을 제외하는 것이 중요하다.

키포인트
- 약물
- 볼록한 자반
- Leukocytoclastic Vasculitis

6 Henoch–Schönlein 자색반 HSP

아나필락시스 자색반(anaphylactoid purpura)이라고도 한다. 병리조직소견에서는 앞에서 설명한 백혈구파괴혈관염(leukocytoclastic vasculitis)이 나타나지만, 증상은 피부소견과 함께 전신소견이 나타나므로 약간 위험한 느낌이 있다.

1. 역학

소아에게서 흔히 발생하지만 성인에게서도 볼 수 있다. 많은 예에서 바이러스감염이나 세균감염 등의 선행감염을 동반한다(표 2–13).

만성적인 병소감염이나 약제가 원인이 되는 경우도 있다.

	역학	원인	병리
과민성 혈관염 (hypersensivity vasculitis)	성인	약제가 많다	백혈구파괴혈관염 (leukocytoclastic vasculitis)
HSP	소아	상기도 감염이 많다	백혈구파괴혈관염 (leukocytoclastic vasculitis)

[표 2–13] HSP의 감별

2. 임상증상

피부증상 · 관절증상 · 소화관증상이 3징후이다. 여기에 신장증상이 더해지면 중증도가 상승하여, 강력한 치료를 필요로 하는 경우가 있다.

1) 피부증상

과민성 혈관염에서 볼 수 있던 것과 마찬가지로 침윤이 있고 볼록한 자색반이 보인다. 이것도 종아리에서 흔히 발생하지만 전완/아래팔이나 대퇴/넙다리에서 발생하는 경우도 있다(그림 2-52).

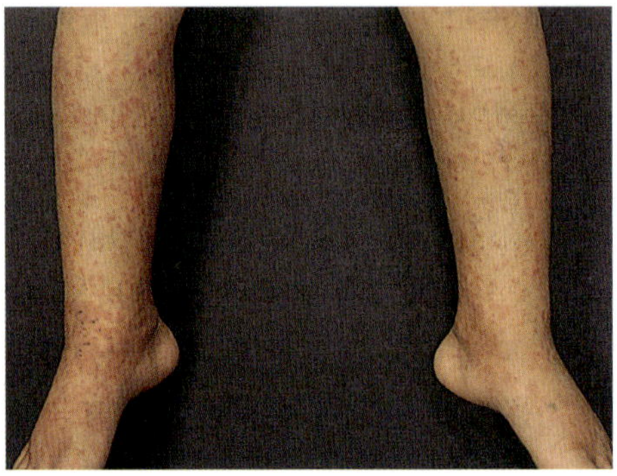

[그림 2-52] Henoch-Schönlein purpura

2) 관절증상

선행 감염에 동반해서 빠른 시기부터 무릎 · 다리관절의 관절통이 나타난다.

3) 소화관증상

복통이 나타난다. 복통의 정체는 위나 십이지장 점막의 혈관염이다. 넓은 범위에 미란이나 궤양이 생겨 복통, 설사를 초래한다. 급격하게 병세가 악화되면 장천공을 일으키기도 한다.

4) 신장증상

현미경적 혈뇨가 보이는 경우가 있다. 대부분의 경우 일과성으로 자연치유되지만, 일부에서는 진행되어 신부전/콩팥기능상실에 이르기도 한다.

메산지움/사구체간질(mesangium)증식성 사구체신염(IgA 신병증의 소견)의 병리조직상을 나타낸다. 이 신장병증을 자색반 신장염이라고 하는데, 병리조직만으로 이 두 가지를 감별할 수 없다.

신장기능장애에 의해 종종 예후가 결정되기 때문에, 스테로이드 적응의 유무가 논의된다.

단순형 : 피부증상(자색반)만 나타나며 전신 증상이 부족한 것
Henoch형 : 복통이 심하고, 설사·하혈·구토 등의 소화관증상이 심하게 나타나는 것
Schönlein형 : 관절통이나 종창 등, 관절증상이 심하며 다양한 발진이 나타나는 것

3. 검사소견

응고능이나 혈소판 수 등은 모두 정상이다.
Rumpel-Leede 시험(혈관의 취약성 검사)이 양성이 된다.
임상증상과 피부생검으로 혈관염을 확인함으로써 진단내릴 수 있다.

4. 치료 및 간호

일반적으로 예후는 양호하지만, 반복되는 경우가 있다. 또, 신장증이나 장출혈이 예후를 좌우한다.

치료의 기본은 안정이다. 다리를 올려 새로운 혈관염의 파급을 막는다. 또, 비타민 C나 플라스민제제를 투여한다. 복부증상이 있으면 절식을 하고 수액관리를 한다. 대부분의 경우 대증요법으로 호전되지만, 신장증상이나 복통증상이 심해지면 스테로이드가 적응된다.

7 관자동맥염 Temporal arteritis : TA

천측두동맥/얕은관자동맥이나 안동맥/눈동맥 등의 혈관벽에 거대세포를 함유한 육아종성 염증(거대세포동맥염)이 생기는 질환이다. 고령자에게 많고, 남녀 비에서는 여성에게 약간 많이 발생한다. 백인에게서 호발하며 우리나라에서는 드물다.

1. 역학

북유럽이나 북미에 많이 발생하며 우리나라에는 발생률이 낮다. 남녀 비는 1 : 1.6 정도로, 여성의 발생률이 약간 더 높다. 연령은 60~70대에서 많이 발생한다.

2. 임상증상 (그림 2-53)

주로 경동맥의 분지를 침범한다.

1) 두통

관자동맥의 염증에 의해 두통이 반드시 발생하는데, 관자동맥을 따라 나타나는 박동성

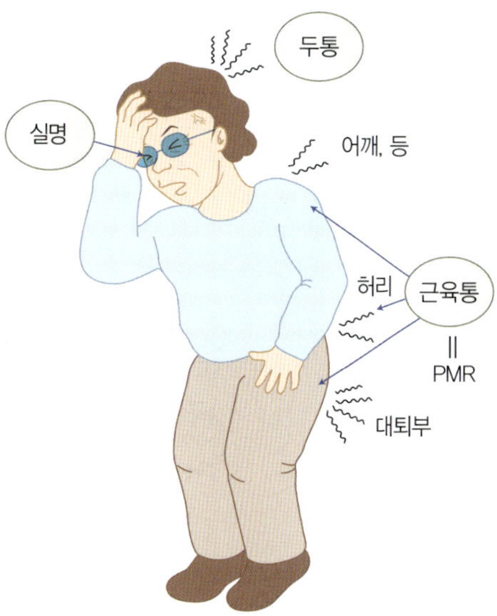

[그림 2-53] 관자동맥염(temporal arteritis)의 임상증상

격통발작이다. 관자놀이 부분의 천측두동맥이 굵은 밧줄 모양으로 단단하게 만져진다(그림 2-54).

압통이나 열감, 발적이나 사행(serpiginous)이 나타나기도 하며 때때로 궤양이 된다. 안면동맥 · 후두동맥 · 후이개동맥/뒤귓바퀴동맥이 손상되기도 한다.

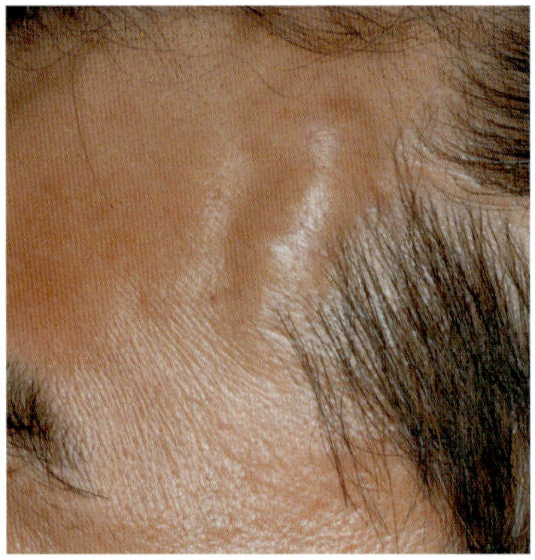

[그림 2-54] 관자동맥염 (TA : temporal arteritis)

2) 시력장애

눈동맥(optic artery)도 장애를 받기 쉬워 허혈성 시신경염, 망막중심동맥 폐쇄증 등으로 인한 시력장애나 복시가 발생한다. 이것이 진행하면 실명할 위험이 있다.

3) 비특이적 증상

발열, 전신권태감, 피로감, 체중감소 등이 나타난다.

4) 류마티스성 다발성 근육통 Polymyalgia rheumatica : PMR

약 반수의 증례에서 나타난다. 근육통에는 근위근의 통증 · 경직, 비특이적 염증소견이 있다.

5) 기타

약 10%의 증례에서 대동맥 · 쇄골하동맥 · 상완동맥도 침범이 된다. 협심증 · 심근경색 등의 순환장애나 뇌혈관장애가 나타나기도 한다.

3. 검사소견

염증이 있을 때 나타나는 일반적인 소견을 살펴보자.

1) 혈청생화학 소견

ESR 항진, CRP의 상승이 나타난다. 일반적으로 CK, AST, ALT가 정상이므로, PM 등은 감별할 수 있다. 그러나 이러한 것들이 상승하는 경우도 있어 혈액소견만으로는 진단을 확정할 수 없다.

2) 안저부 소견

혈관염이 눈동맥(optic artery)에 파급되면, 시신경유두의 허혈성 변화나 망막의 면화모양 홍반이 나타난다.

3) 관자동맥 생검법

거대세포를 포함한 육아종을 만드는 혈관염이다. 관자동맥의 내막에서부터 중막에 걸쳐 염증세포가 침윤되며, 거대세포 · 섬유소성 변성 · 내강의 폐쇄가 나타난다.

4. 진단기준

적어도 주요증상 1항목과 조직소견이 있으면 확정 진단하고 주요증상의 세 번째 항목을 포함해 적어도 2항목이 있으면 의심으로 진단한다.

5. 치료 및 간호

부신피질스테로이드제가 적응된다. 관자동맥의 염증만 있어 증상이 가벼울 때에는 NSAIDs로부터 시작하여, 소량(10~15mg/day 정도)의 스테로이드(프레드니솔론) 복용으로 증상은 호전된다. 한편, 눈증상을 동반한 경우에는 실명의 위험을 고려해 20~50 mg/day 정도를 복용시킨다.

6. 참고

- 두통과 시력장애
- 어깨통증, 요통 등
- 거대세포동맥염(GCA)

이 중에서도, 두통과 시력장애를 꼭 기억해 두기 바란다.

TIP

PMR (polymyalgia rheumatica ; 류마티스성 다발성 근육통)과 TA

TA의 50%에서 PMR을 동반하며, PMR의 30%에서 TA를 동반한다. 따라서 임상에서는 이 2가지를 함께 묶어서 취급하는 경우가 많다. 예를 들어, TA로 진단되면 어깨나 허리 등의 통증을 확인하고, PMR로 진단되면 반드시 관자동맥을 촉진해서 TA를 확인한다.

PMR로 진단했을 때, TA가 동반된 것을 보지 못하고 놓치는 것은 치명적인 잘못이다. 왜냐하면 실명될 위험성이 있기 때문이다.

PMR의 특징을 살펴보자.

- 고령자의 질환
- 근위근 우위의 근육통, 경직
- ESR 항진, CRP 상승
- 근원성 산소(CK, AST, ALT) 정상
- RF 음성

원인불명의 근육통이 발생했을 때는 항상 PMR을 감별해야 하지만, 근원성 효소가 정상인 경우에는 PMR을 제외시킬 수 있다. ESR의 항진이 유일한 이상 소견인 경우가 있다. 이상의 PMR의 특징은, TA에서 볼 수 있는 근육통의 특징이라고 바꾸어 말할 수 있다.

8 대동맥염 증후군 Aortitis syndrome 무맥병, 타카야스동맥염

1. 침범되는 혈관

대동맥이 침범당하는 질환으로, 특히 대동맥의 제1분지가 많이 침범된다.

대동맥의 제1분지를 생각해 보자(**그림 2-55**).

이 중에, 폐동맥이 들어가 있지 않지만, 대동맥염 증후군에서는 폐동맥도 장애를 받는 경우가 있다.

대동맥의 제1분지에 혈관염이 생기면, 그곳이 협착되어 말초에 허혈이 발생한다. 증상과 장애 혈관을 함께 묶어 기억하도록 하자.

큰 혈관의 혈관염을 증명하려면 어떻게 해야 할까? 생검은 무리이다. 우리 몸 깊은 곳에 있기 때문에 작업이 어려우며, 더구나 지혈시키기도 어렵다. 그래서 이 질환에서 생검은 실시하지 않는다. 대신 대동맥조영을 실시해서 협착을 찾아내면 대동맥염 증후군이라고 진단한다.

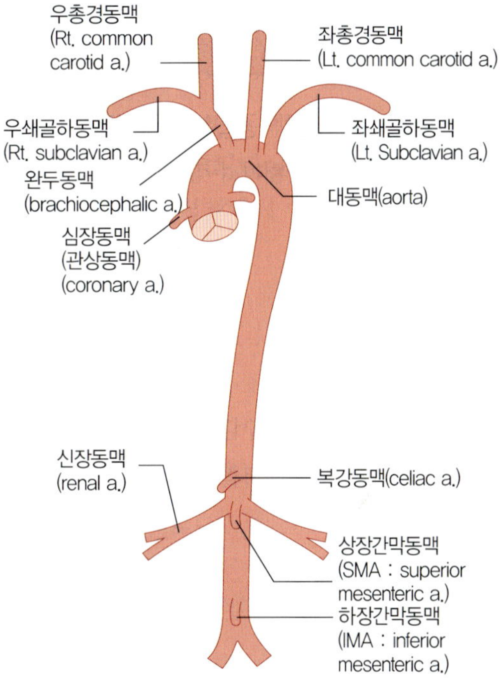

[그림 2-55] 대동맥의 제1분지 (늑간동맥은 생략)

2. 무맥병이라는 병명의 유래

보통 맥을 짚는 곳은 요골동맥/노동맥(radial artery)이다. 요골동맥을 중추로 거슬러 올라가면 완두동맥/팔머리동맥(brachiocephalic artery) 또는 좌쇄골하동맥(left subclavian artery)에 도달하게 되는데, 여기에서 혈관염이 생기고 협착으로 진행되어 혈류가 감소한다. 혈류가 감소하면 그곳에서부터 말초 요골동맥의 수축기 혈압이 감소하며, 그 정도가 심하면 맥이 짚이지 않는 경우도 발생하므로 '무맥병'이라고 불리게 되었다.

3. 역학

동양인 중에서 젊은 여성이 걸리기 쉬운 질환이다.

4. 임상증상

어느 대혈관에 협착이 일어나는가를 생각하면서 읽기 바란다(그림 2-56).

1) 머리의 허혈증상

쇄골하동맥(특히 왼쪽)이 침범당하면, 뇌로 가는 혈류가 감소해 실명발작, 현기증이 발생한다.

2) 팔의 허혈증상

쇄골하동맥(특히 왼쪽)이 침범당하면, 팔로 가는 혈류가 감소해 손가락의 한랭감, 팔의 피로감, 경련 등이 발생한다.

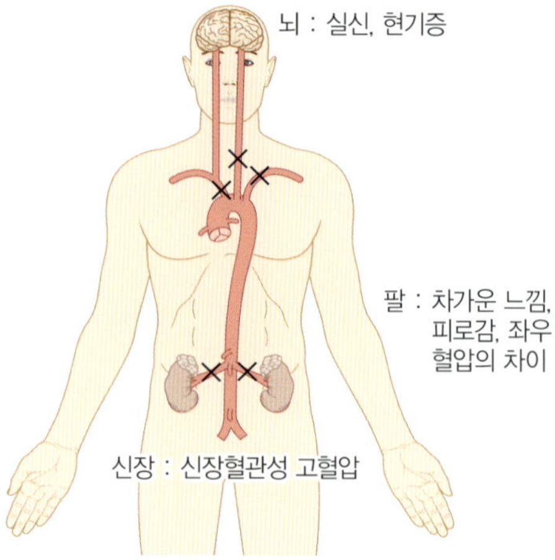

[그림 2-56] 대동맥염 증후군(aortitis syndrome)의 임상증상

3) 고혈압

신장동맥이 침범당하면 신장으로 가는 혈류가 감소한 결과 레닌분비가 증가하고 고혈압이 발생한다. 소위 신장혈관성 고혈압이다.

4) 부정형 신체증후군

원인불명의 열, 체중감소, 전신권태감 등 혈관염에 나타나는 공통된 소견이다.

5. 검사소견

ESR 항진이 유일한 소견인 경우가 많다. 젊은 여성으로 ESR이 항진되고 원인불명의 열이 있는 경우에는 반드시 대동맥염 증후군을 염두에 두고 감별진단을 해야 한다.

신장혈관성(콩팥혈관성) 고혈압의 주요 원인

1. **섬유근성 형성장애**(fibromuscular dysplasia)
2. **죽상경화증**(artherosclerosis)
3. **대동맥염 증후군**(aortitis syndrome, 타카야스 동맥염)

젊은 여성에게서 신장혈관성 고혈압이 나타나면, 섬유근성 형성장애나, 대동맥염 증후군(타카야스 동맥염)을 생각해야 한다.

1) 염증소견
ESR 항진, CRP 상승 등

2) 혈관조영
혈관염의 부위에 협착 또는 폐쇄가 나타난다.

3) 노동맥의 수축기 혈압차이 또는 맥박감소
무맥병의 유래와 함께 꼭 기억해 두기 바란다.

4) 혈관성 잡음
목, 배, 등 부위에서 들을 수 있다.

5) 폐혈류 신티그래피
만일 폐동맥이 협착되어 있으면 폐 신티그래피(scintigraphy)에서 결손으로 나타난다.

2)~5)까지의 소견은, 혈관염에 의한 협착이 상당히 진행되어 있지 않으면 알 수 없는 소견이다. 초기에는 ESR 항진과 발열 소견밖에 나타나지 않아 의사를 당황하게 하는 경우가 많다.

6. 치료

부신피질스테로이드제를 중등량에서 대량까지 사용한다.

9 가와사키병/소아 급성열성피부점막 림프절 증후군
Kawasaki disease / acute febrile mucocutaneous lymphnoda syndrome : MCLS

1. 정의

가와사키병은 4세 이하의 영유아에게서 발생하는 급성 열성 발진증이다. 그 원인은 아직 밝혀지지 않았지만, 전신의 계통적 혈관염이 주된 병태이다.

가와사키병에서 꼭 알아두어야 하는 핵심을 정리해 보자.

① 소아, 특히 영유아의 질환이다.
② 증상(진단기준 항목)은 전부 기억하자.
③ 심장동맥에 혈관염이 생겼을 경우, 심근경색, 관상동맥류/심장동맥자루 파열이 일어난다.

④ 치료는 아스피린 또는 γ - globulin 제제이며, 부신피질스테로이드제는 금기이다.

2. 역학

주로 4세 이하 영유아의 질환이다. 원인불명이지만 바이러스나 용혈연쇄상구균 등의 감염성 질환이 원인일 것으로 추정되고 있다.

3. 임상증상과 진단기준

가와사키병이라는 이름은 보고자인 가와사키 도미사쿠의 이름에서 유래한 것이다. 별칭은, **소아 급성 열성 피부점막 림프절 증후군**이다. 이 별칭에서 다음과 같은 것을 알 수 있다.

- 급성 질환이다.
- 열이 난다.
- 피부, 점막, 림프절에 증상이 나타난다.

피부와 점막의 증상은 매우 다양하므로 기억하도록 하자.

진단기준은 아래의 6개의 진단항목 중 5개 이상을 충족시킬 때, 또는 4항목 이상 충족시키고 동시에 초음파검사에서 관상동맥류가 나타난 경우에 가와사키병으로 진단한다(**그림 2-57**).

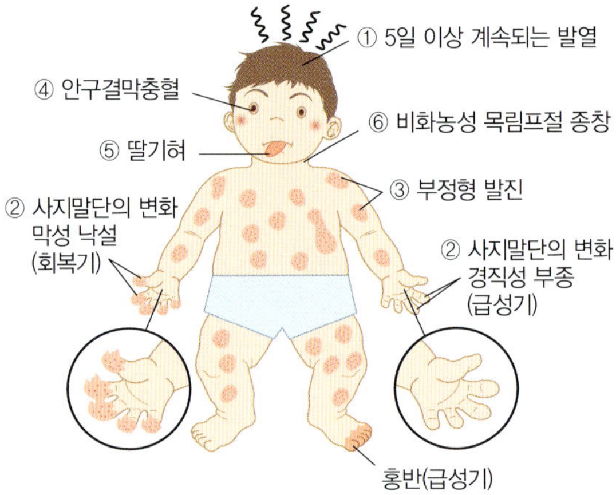

①~⑥ 중에서 5개 이상이 해당되거나 또는 ①~⑥ 중에서 4개가 해당되고 관상동맥류(심장동맥자루)가 있으면 가와사키병으로 진단한다

[그림 2-57] 가와사키병의 임상증상

1) 5일 이상 계속되는 발열

원인불명의 발열로, 38~40℃의 고열이 5일 이상 계속된다. 1~2주 계속되는 경우가 많으며 1개월 이상 계속되기도 한다.

2) 사지말단의 변화

급성기에는 손발의 경직성 부종(손바닥이나 손가락이 부어올라 주먹을 쥘 수 없게 되는 정도), 손 · 발바닥 또는 손 · 발가락 끝에 홍반이

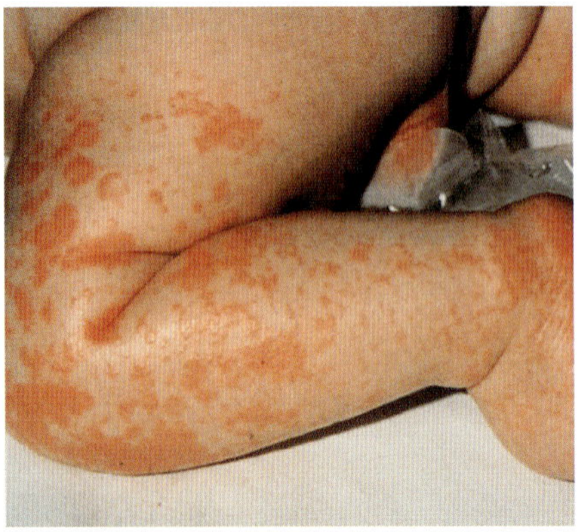

[그림 2-58] 가와사키병에서의 사지말단의 변화

나타난다(그림 2-58). 회복기에는 손가락 끝에서 막성 낙설(표피 탈락)이 나타난다. 말초나 사지가 심하게 부어오를 때에는 이러한 현상이 나타난다. 손톱과 피부의 이행부에서 피부가 벗겨진다.

3) 부정형 발진

90%에서 볼 수 있다. 발진이 하루에 사라지기도 하고 1주일간 계속되기도 한다. 물집이나 괴사딱지(부스럼딱지)는 형성되지 않는다. 대부분이 홍반이다.

4) 양쪽 안구결막의 충혈

발열 1~3일 후에 90%에서 나타난다. 눈증상에는 그 밖에 홍채섬모체염(indocyclitis)이 있다.

5) 입술 · 구강점막의 변화

입술에는 홍조, 건조, 갈라짐, 출혈이 나타난다. 구강에는 미만성 발적, 딸기혀가 나타난다. 아프타(aphtha)나 궤양은 생기지 않는다.

6) 비화농성 목림프절 종창

편측성, 양측성 어느 쪽에서도 나타난다.

4. 심혈관장애

진단항목에 있는 증상과는 별도로 **관상동맥류**/심장동맥자루가 생명예후의 관점에서 문제가 된다. 이 관상동맥류는 심장동맥/관상동맥에 혈관염이 생긴 결과이다. 가와사키병의 예후는 매우 좋지만, **관상동맥류가 남았을 경우에는 돌연사의 원인**이 된다.

급성기에는 심장동맥에 혈관염이 발생하는데, 그 후 염증이 신속하게 가라앉는 것, 경도의 혈관확장이 남는 것, 혹이 생기는 것이 있다. 관상동맥류는 약 10%에서 형성된다. 영유아의 심장동맥은 보통 약 2mm이지만, 10mm 이상 되기도 한다. 약간 확장된 것은 1~2년 내에 사라지지만, 8mm 이상인 것의 반수는 협착성 변화를 초래한다.

관상동맥류가 형성되면 어떤 상황이 벌어질까?

한 가지는 혈전이다. 동맥류의 입구, 출구에서 혈류가 불균등하게 되어 혈전이 생기기 쉬워진다. 이 혈전이 심장동맥을 막아 버리며 이것이 심근경색의 원인이 된다. 급성기나 회복기에서도 응고인자가 활성화되어 혈전이 생기기 쉬운 상황이 된다. 이것이 급성기에 돌연사가 일어나는 기전이다. 또 하나는 파열이다. 드물게 대동맥보다 지름이 굵은 거대한 동맥류가 형성되는 경우가 있다. 이 거대한 관상동맥류의 파열에 의해 돌연사가 발생한다.

발열이 1개월 이상이나 계속되는 증례 등에서는 관상동맥류의 위험도 높아진다. 또, 일단 소실되었다고 해도 수년이 지나면 재발되는 경우가 있으므로 신중한 경과관찰이 필요하다. 성인이 된 후에도 심근경색의 위험이 있다.

요약하면, 심장동맥의 협착 · 폐쇄, 거대 관상동맥류의 파열이 장기적인 예후의 핵심이 된다.

5. 치료 및 간호

아스피린과 γ-globulin을 투여한다.

아스피린의 항혈소판 작용을 이용해서 심장동맥에 혈전이 생기지 않도록 한다. γ-globulin의 정확한 작용기전은 알 수 없지만, γ-globulin을 대량 투여하면 관상동맥류의 발병을 10% 정도 감소시킨다고 알려져 있다.

지금은 일부 경증인 예를 제외한 약 90%의 증례에서 γ-globulin을 투여한다. 심장동맥이 가늘어지고 명백한 심근허혈이 있으면 카테터나 우회로(bypass)술로 확장시킨다.

6. 검사소견

혈관염의 검사소견 외에 특별한 소견은 없다. 즉, 백혈구 증가, 혈소판 증가, ESR 항진, CRP 증가 등이다.

10 Behcet병 Behcet's disease

1. 역학

통계에 의해 남녀비는 0.9~1.2:1로 다양하나, 신경 Behcet병이나 혈관 · 장관 Behcet병과 같이 위중한 증상은 남성 환자에게서 많이 나타난다.

발병 연령은 30세 전후이다.

2. 병태생리

Behcet병의 기본적인 병태는 호중구의 기능항진에 있다. 그 기능이란, 사이토카인(cytokine) 생산능력, 활성화산소 생산능력, 이동능력, 탐식능력 등이다.

유전적 소인으로는 HLA(인간 주요조직 적합항원)에 관여하는 질환감수성 유전자 · 질환저항성 유전자가 존재하는 것이 밝혀졌다.

이 질환 환자의 약 60%에서 HLA-B51이 높으므로 HLA-B51 양성자는 발병 위험이 높다고 할 수 있다.

3. 임상증상 (그림 2-59)

실로 다양한 임상적 특징이 보이지만, 기본적인 것은 호중구가 중심이 된 염증이 나타나는 것이다.

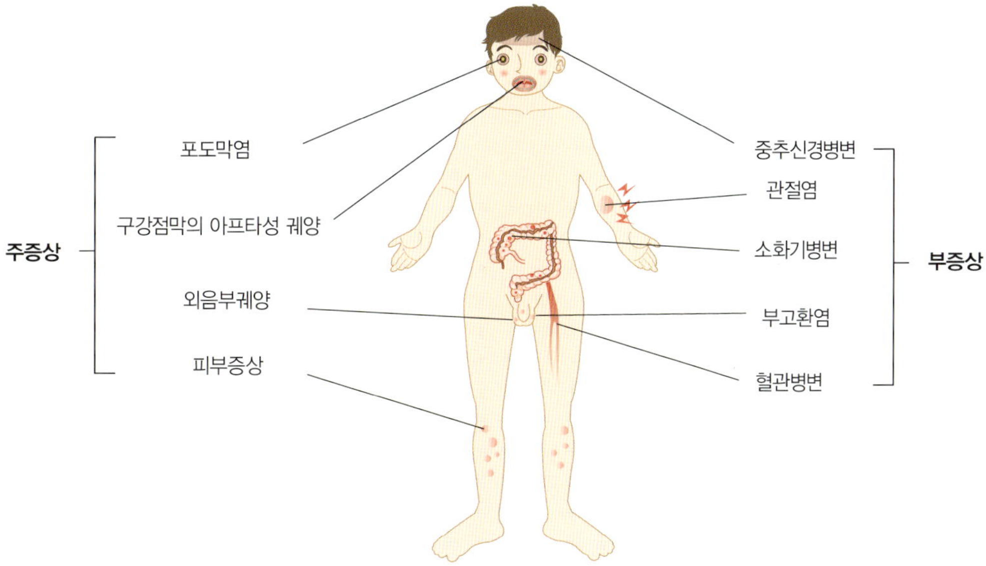

[그림 2-59] Behcet 병의 임상증상

주증상

1) 재발성 구강내궤양(아프타〈aphtha〉성 궤양)

1년에 3회 이상 생기고 치유된 다음에도 발생하기 쉽다. 혀 · 입술 · 볼점막 · 잇몸 등 구강점막의 2~10mm 정도의 통증성 궤양이다. 외적 자극을 받으면 바로 생긴다.

2) 재발성 외음부궤양

남성은 음경 · 음낭에, 여성은 소음순~대음순에 심한 통증을 수반하는 궤양이 생긴다. 비교적 깊은 궤양으로 종종 다발하며, 주위의 항문이나 서혜부/샅굴부위에도 발생한다. 비교적 단기간에 상처가 치유되지만 재발한다. 통증을 동반하는 큰 궤양이므로, 매독이나 헤르페스와 감별할 수 있다.

3) 눈증상

약 70%에서 포도막염(uveitis)이 나타난다(그림 2-60). 여기에는 홍채염 · 홍채섬모체염이 중심이 되는 앞포도막염(anterior uveitis), 그물맥락막염을 나타내는 뒤포도막염(posterior uveitis)이 있다. 홍채염에서는 전방축농(hypopyon)을 동반한다.

약시 · 눈의 통증 등이 초기증상이며, 뒤포도막염이 되면 비가역적인 변화가 일어난다. 이것은 증식성의 변화로서 망막박리 등을 일으킨다. 양측성으로 발생하기 쉽고 진행되면 실명에 이른다.

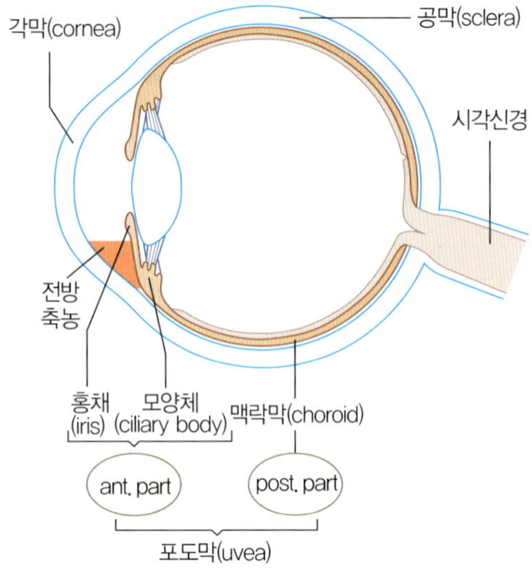

[그림 2-60] 포도막(uvea)의 구조

4) 피부증상

① 결절성 홍반

많이 발생하는 부위는 종아리이며, 피하에 침윤이 있고 통증을 동반하는 홍반이 다발한다.

호중구의 침윤에 의한 지방조직염이다.

② 모낭염성 발진

몸통 · 사지에 좌창(acne, 여드름)과 유사한 발진이 나타난다.

③ 피부 반응 검사(Pathergy test)

멸균한 주사바늘을 피부에 찌르거나 0.1cc의 생리식염수를 진피 내에 주입하고 24~48시간 후에 같은 부위에 작은 농포가 생기면 양성이다.

④ 혈전성 정맥염

종아리에 많이 발생하지만, 표재의 정맥에 혈전이 생겨 굵은 밧줄 모양으로 만져진다. 심부 정맥이 침범당하는 혈관 Behcet병과는 다르다.

부증상

5) 관절통

약 반수의 예에서 볼 수 있으며, 대관절(무릎 · 팔꿈치 등)에 통증이 나타난다.

보통은 경증이며 파괴를 동반하는 경우는 없다.

6) 중추신경증상

신경 Behcet(neuro Behcet)병이라고 불리는데, 가장 위험하며 치료에 저항성이 있는 유형이다. 앞에서 설명한 것처럼 남성에게서 많이 볼 수 있다. 뇌줄기 · 바닥핵 주변에서 백질의 연화 · 괴사 · 탈수를 수반하는 수막염 · 뇌척수염이다.

대마비, 반신불수, 추체외로계증상, 소뇌실조, 수막염, 정신증상이 나타난다.

보통의 Behcet병보다 HLA-B51의 출현빈도가 높은 것도 특징이다.

7) 소화관증상

회맹장/돌막창자 부위에서 상행결장/오름잘록창자에 걸쳐 궤양이 다발하는 경우가 있는데 이것을 장관 Behcet(intestinal Behcet)병이라고 한다. 충수염/막창자꼬리염에서 나타나는 복통, 변통이상, 하혈 등이 주요증상이며 악화되면 천공되기도 한다.

8) 혈관증상

대혈관 자체 또는 그 분지에 혹이 생기거나 폐쇄를 일으키는 것이 혈관 Behcet(vasculo Behcet)병이다. 다리의 심부정맥에 혈전이 발생하거나 대정맥에 혈전이 많이 발생한다.

정맥이 주로 침범당하지만 동맥도 종종 침범당한다. 혹이 생기는데 위중한 증례(역시 남성이다)에서는 혹이 파열된다.

9) 부고환염

종창이나 통증이 나타나는 경우가 있다.

4. 검사소견

일반적인 염증소견이 나타난다.

백혈구 상승(호중구가 주로 상승), CRP 상승, ESR 항진, 섬유소 증가, 혈청 보체값의 상승, γ-globulin 상승, HLA-B51 양성(약 60%).

5. 진단

진단기준을 충족시키지 않아도, Behcet병의 증상을 나타내는 것을 불완전형 Behcet병이라고 한다(한편, 여러 증상이 나타나 진단기준을 충족시키는 것을 완전형 Behcet병이라고 한다)(표 2-14).

Ⅰ. 반복되는 구강점막의 아프타성 궤양(12개월에 3회 이상 반복된다)

Ⅱ. ① 외음부 궤양
② 전형적 눈증상
③ 전형적 피부증상
④ 피부의 바늘반응

Ⅰ+Ⅱ의 ①~④ 중 2가지가 충족되면 Behcet병으로 진단한다.

[표 2-14] Behcet병의 국제 진단기준

6. 치료 및 간호

NSAIDs, 콜치신, 스테로이드, 면역억제제가 기본이다.

눈증상의 유무에 주의가 필요하다.

부신피질스테로이드제는 급성 염증을 억제하기 때문에 효과적이다. 그러나 감량을 하거나 중지할 경우에는 눈증상을 유발하기 때문에, 처음부터 눈증상이 있는 경우에는 가능한 전신투여를 하지 않는 경향이 있다. 눈증상에 대해서는 산동제, 스테로이드의 국소주사나 점안을 하고, 중추신경 · 장관 · 혈관증상이 있으면 전신투여를 한다.

면역억제제 가운데서 cyclosporin은 눈증상에 효과가 있지만, 중추신경증상을 유발할 우려가 있기 때문에 신경 Behcet병에서는 금기가 될 수 있기 때문에 사용하지 않는다. 콜치신(colchicine)은 호중구의 기능을 억제하는 기능이 있다. 모든 증상에 일정한 효과가 나타나지만, 최기형성(teratogenesis)이 있다는 것과 간질환을 초래하는 것이 문제점이다.

7. 예후

일반적으로 악화와 호전을 반복하며 만성으로 경과해 간다. 그러나 중추신경이나 소화관증상을 수반하는 경우에는 예후가 나쁘다.

베체트병 핵심정리

병태생리로 보는 베체트병

베체트병의 발병 연령은 30세 전후이며 남녀비는 0.9~1.2 : 1로 다양하나 신경 베체트병이나 혈관 · 장관 베체트병과 같이 위중한 증상은 남성 환자에게서 많이 나타난다.

병 인	• 호중구의 기능(사이토카인 생산능력, 활성화산소 생산능력, 이동·탐식능력) 항진 • 유전적 소인 : HLA(인간 주요조직 적합항원)에 관여하는 질환감수성 유전자·질환저항성 유전자
병 태	• 베체트병의 기본적인 병태 : 호중구의 기능항진(사이토카인 생산능력, 활성화산소 생산능력, 이동능력, 탐식능력 등의 기능) • 이 질환 환자의 60%에서 HLA-B51이 높으므로 HLA-B51 양성자는 발병 위험이 높다.
증 상	**주 증상** • 재발성 구강내 궤양(아프타성 궤양) • 재발성 외음부궤양 • 눈 증상 : 약 70%에서 포도막염이 나타남 • 피부증상 – 결절성 홍반 – 모낭염성 발진 – 혈전성 정맥염 **부 증상** • 관절통 • 중추신경증상 : 대마비, 반신불수, 추체외로계 증상, 소뇌실조, 수막염, 정신증상 • 소화관증상 : 장관 베체트병 • 혈관증상 : 혈관 베체트병 • 부고환염

진 단 및 검 사	**검사** • 백혈구 상승(주로 호중구 상승) • CRP 상승 • ESR 항진 • 섬유소 증가 • 혈청 보체값 상승
치 료	• NSAIDs • 콜치신 : 호중구의 기능 억제 • 부신피질스테로이드제 : 급성 염증 억제 • 면역억제제 : Cyclosporin은 눈증상에 효과가 있으나 중추신경증상을 유발할 우려가 있으므로 신경 베체트병에서는 금기가 될 수 있다.

I 섬유근육통 Fibromyalgia

1. 개념

만성적인 전신성 근육뼈대계통 통증과 경직감을 특징으로 하는 질환이다. 일차적으로 통증 증후군이나, 다양한 신경정신증상들과 관련이 있어 피로, 개운치 못한 수면, 인지장애, 불안, 우울증 등이 나타난다.

중추신경계가 질환의 병태생리에 큰 역할을 하는 것으로 생각된다.

50대 이상의 여성에서 호발하며 연령이 증가할수록 발생률이 증가하는데 남 : 여 = 1 : 8 ~ 9의 발생률을 보인다.

2. 증상

1) 통증 및 압통

허리를 기준으로 좌 · 우 · 상 · 하로 나눈 사분면을 각각 침범하며, 몸통부위도 침범하는데, 정확한 통증 지점을 찾기 어렵고 강도도 심해 활동능력을 감소시킨다.

3개월 동안 거의 매일 통증이 나타나며, 특정 근육골격계통 병변이라기보다 통증 인지과정의 변화로 생각된다.

진찰소견은 압통점 외에는 거의 없다.

2) 신경정신학적 증상

흔히 전신 권태감, 피로, 수면장애, 인지장애, 기억장애, 불안, 우울증 등을 호소하는데 이러한 증상들은 환자나 시간에 따라 다양하게 나타난다.

3. 검사

실험실 검사를 실시한다. 일반적으로 섬유근육통에서 실험실 검사는 모두 정상이므로, 다른 진단을 배제하고 동반 질병을 평가하는 데 사용한다.

4. 진단기준

① 광범위한 근골격계 통증(3개월 이상)
② 압통점(tender point) 부위(18개 중 11개 이상) **(그림 2-61)**

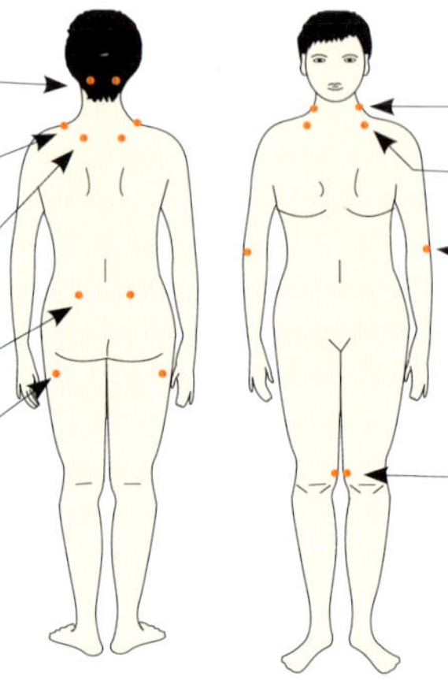

[그림 2-61] 섬유근육통의 압통점

5. 감별진단

만성 피로 증후군(Chronic fatigue symdrome)은 증상이 바이러스 감염 시와 더 비슷하다(예 : 미약한 열, 인후통, 겨드랑이/경부림프절의 통증 등).

류마티스성 다발성 근육통(Polymyalgia rheumatica)은 근위부 근육의 경직과 통증이 더 심하며(more proximal muscle stiffness & pain), 적혈구침강속도(ESR)가 항진한다.

6. 치료

우선 환자를 안심시키는 것이 가장 중요하다. 섬유근육통에 대해 자세히 알려주어 환자의 궁금증을 해소시킨다. 통증을 완전히 없애기보다는, 기능이나 삶의 질을 향상시키는 것을 치료 목표로 합의해야 한다.

다양한 운동 프로그램으로 육체적 단련을 하는 것이 추천된다.

• 약물치료

항우울제(amitryptiline, duloxetine, milnacipran)나 항경련제(gabapentin, pregabalin)를 사용한다(NSAIDs, glucocorticoid, 아편유사제는 추천되지 않음).

찾아보기

ㄱ

가성 통풍(거짓 통풍) ………… 76
가와사키병 ………… 149
가장자리홍반 ………… 74
강직척추염 ………… 65
건선관절염 ………… 69
결절다발동맥염 ………… 126
결합조직 질환 ………… 3
고전적 결합조직 질환 ………… 4, 33
골증식 ………… 70
과민성 혈관염 ………… 140
관자동맥염 ………… 143
관절고정술 ………… 51
관절낭 ………… 38
관절염 ………… 35
관절통 ………… 77
관절틈새 ………… 38
관절형성술 ………… 51
광선과민증 ………… 79
괴사혈관염 ………… 124
교차면역반응 ………… 72
구강내 궤양 ………… 79
국한피부경화증 ………… 92
그물울혈반 ………… 80, 128
금(gold) 제제 ………… 47
급성기 단백질 ………… 24

ㄴ

나비형 홍반 ………… 78

ㄷ

다발관절염 ………… 74
다발근육염 ………… 104
다발성단일신경염 ………… 137
다형 피부위축 ………… 106
단춧구멍 변형 ………… 40
대나무 척추 ………… 66
대동맥염 증후군 ………… 147

ㄹ

로즈벵갈 시험 ………… 117
루푸스 항응고인자 ………… 88, 89
루푸스신장염 ………… 80
류마티스관절염 ………… 35
류마티스성
　다발성 근육통 ………… 144, 146
류마티스성 발진 ………… 61
류마티스열 ………… 72
류마티스인자 ………… 18
류마티스인자 ………… 43

ㅁ

말초혈액 ………… 10
면역억제제 ………… 22
무맥병 ………… 147
무지외반증 ………… 40

ㅂ

반응성 관절염 ………… 68
백조목 변형 ………… 40
백혈구파괴혈관염 ………… 140
변형관절염 ………… 70
부시라민 ………… 48
부신피질 스테로이드 ………… 48
부신피질스테로이드 ………… 20
비스테로이드성 항염증제 ………… 21
비스테로이드성 항염증제 ………… 46

ㅅ

생물학적 위양성 ………… 88
생화학적 검사 ………… 11
설소대단축증 ………… 95
설파살라진 ………… 48
섬유근육통 ………… 159
섬유소성 변성 ………… 4
성인 스틸씨병 ………… 63
소무도병 ………… 74
소아 급성열성피부점막
　림프절 증후군 ………… 149
소아 류마티스관절염 ………… 59
손톱상피 출혈점 ………… 96
수포증 ………… 107
스테로이드 ………… 20
스틸씨병 ………… 61
심근염 ………… 74

ㅇ

아나필락시스 자색반 ………… 141
아라키돈산 연쇄반응 ………… 21
아침 경직 ………… 39
악성 류마티스관절염 ………… 54
악성 흑색표피종 ………… 106
알레르기성 육아종성 혈관염 ………… 136
염증 ………… 22
원반모양 루푸스 ………… 79

윤상홍반(고리홍반) …… 107
윤활막 …… 38
윤활액 …… 38
이장열 …… 63
인지질 …… 87

ㅈ

재활요법 …… 51
저알부민혈증 …… 12
적혈구 침강속도(ESR) …… 28
전신경화증 …… 92
전신홍반루푸스 …… 77
질환조절성 항류마티스제 …… 49

ㅊ

척골 편향 …… 40

ㅌ

타카야스동맥염 …… 147
토실리주맙 …… 50
통풍 …… 75
통풍결절 …… 75
통풍신장 …… 75
퇴행성 골관절염 …… 70

ㅍ

폐고혈압증 …… 97, 100
폐섬유증 …… 97
포도막염 …… 153
피부경화증 …… 92
피부근육염 …… 104
피하결절 …… 41
피하결절 …… 74

ㅎ

항DNA 항체 …… 15
항histone 항체 …… 15
항nonhistone nuclear protein 항체 …… 16
항TNF-α항체 …… 50
항류마티스 생물학적 제제 …… 49
항류마티스제 …… 47
항스트렙토리신 O …… 73
항스트렙토키나제 …… 73
항염증제 …… 21
항인지질 항체 …… 87, 89
항인지질항체 증후군 …… 87
항핵소체 항체 …… 17
항핵항체 …… 12, 98
항호중구세포질 항체 …… 133
헬리오트로프 발진 …… 105
혀유착증 …… 95
현미경적 다발혈관염 …… 133
혈관염 …… 121
혈관염 증후군 …… 122
혈장레닌활성도 …… 99
혈청 음성 척추관절염 …… 65
혈청단백질 …… 22
혼합결합조직병 …… 112
활막절제술 …… 50
후천성 비늘증 …… 107

A

A/G비 24
acquired ichthyosis 107
acute febrile mucocutaneous lymphnoda syndrome(MCLS) 149
acute phase protein 24
adult onset Still's disease(AOSD) 63
albumin 28
albumin/globulin ratio 24
allergic granulomatous angiitis(AGA) 136, 138
ANA 12
anaphylactoid purpura 141
Angiotensin 변환효소(ACE) 저해제 101
ankyloglossia 95
ankylosing spondylitis(AS) 65
annular erythema 107
anti-neutrophil cytoplasmic antibody(ANCA) 133
antinuclear antibodies 12
Anti-phospholipid Ab(APA) 87, 89
anti-phospholipid antibody syndrome(APS) 87
antistreptokinase(ASK) 73
anti-streptolysin O(ASO) 73
aortitis syndrome 147
arthralgia 77
arthritis 35
arthritis deformans 70
articular capsule 38

B

bamboo spine 66
Behcet's disease 152
Behcet병 152
Bouchard 결절 71
boutonniere deformity 40
Bowen병 107
bucillamine 48
butterfly rash 78

C

cascade 21
ceruloplasmin 24
Churg-Strauss 증후군 136, 138
collagen disease 3
connective tissue disease 3
CREST 증후군 94
cross reaction 72
CRP 26
cytoplasmic anti-neutrophil cytoplasmic antibody (C-ANCA) 133

D

dermatomyositis(DM) 104
discoid lupus 79
disease-modifying anti-rheumatic drugs 47
DMARDs 47
DMARDs 49
D-penicillamine 48
D-페니실라민 48

E

erythema marginatum 74

F

Felty 증후군 57
fibrinogen 27
fibromyalgia 159
FUO 6

G

globulin 28
glucocorticosteroids 20
Gottron 징후 105
gout 75
gouty kidney 75

H

hallux valgus 40
Heberden 결절 71
heliotrope rash 105
Henoch Schönlein 자색반 141
HSP 141
hypersensitivity vasculitis 140
hypoalbuminemia 12

I

inflammation 22
interstitial lung disease 97

J

joint space 38
juvenile rheumatoid arthritis(JRA) 59

K

Kawasaki disease 149
Köebner 현상 양성 61

L

LE cell 19
leflunomide 48
Leser-Trelat 증후군 107
leukocytoclastic vasculitis 140
LFM 48
livedo 80, 128
localized scleroderma 92
lupus anticoagulant(LAC) 88, 89
lupus nephritis 80

M

malignant melanoma ············ 106
malignant rheumatoid arthritis(MRA) ·················· 54
methotrexate ························ 48
microscopic polyangiitis(MPA) ······ 133, 136
mixed connective tissue isease(MCTD) ·················· 112
mononeuritis multiplex············ 137
morning stiffness ·················· 39
MTX ································ 48
myocarditis························· 74

N

nail fold bleeding ·················· 96
necrotizing vasculitis ············ 124
non-steroid anti-inflammatory drugs ··· 46
non-steroidal anti-inflammatory drug ······ 21
NSAIDs ····························· 21
NSAIDs ····························· 46

O

oral ulcer ·························· 79
osteoarthritis(OA)·················· 70
osteophyte ·························· 70

P

peri-nuclear ANCA(P-ANCA) ············ 133
phospholipid(PL) ·················· 87
photosensitivity ···················· 79
plasma renin activity(PRA) ··· 99
poikiloderma ······················· 106
polyarteritis nodosa(PN) ···126, 136
polyarthritis ······················· 74
polymyalgia rheumatica(PMR) ·········144, 146
polymyositis(PM) ·················· 104
progressive systemic sclerosis(PSS) ·················· 92
pseudogout ························· 76
psoriatic arthritis ················· 69

R

Raynaud 현상 ······ 8, 79, 96, 100
rehabilitation ······················ 51
Reiter 증후군························ 68
Reiter's syndrome ·················· 68
rheumatic fever(RF)················ 72
rheumatoid arthritis(RA)········· 35
rheumatoid factor(RF) ············ 18
rose bengal test ···················· 117
rouleaux formation ················ 29

S

salazosulfapyridine(SASP) ······ 48
Schirmer 시험 ····················· 117
scleroderma ························ 92
Sjögren syndrome(SjS) ········· 115
Sjögren 증후군 ···················· 115
spiking fever ······················· 63
Still's disease······················ 61
subcutaneous nodule··············· 41
subcutaneous nodule··············· 74
swan neck deformity ············ 40
Sweet병 ··························· 107
Sydenham's chorea ··············· 74
synovial fluid······················ 38
synovium ··························· 38
systemic lupus erythematosus(SLE)············ 77
systemic sclerosis ················· 92
systemic sclerosis(SSc) ········· 92

T

temporal arteritis(TA) ······ 143, 146
tocilizumab ························ 50
tophi ······························· 75
transferrin ························· 24

U

ulnar deviation ···················· 40
uveitis ····························· 153

V

vasculitis ·························· 121
vasculitis syndrome ··············· 122

W

Wegener 육아종증 ··············· 138
Wegener's granulomatosis(WG) ········· 138